Nacer al Morir:

El despertar de un aprendiz en pleno vuelo

Luis G. Bravo Del Valle

PUBLICACIONES
PLENO VUELO

Nacer al morir: El despertar de un aprendiz en pleno vuelo
©Luis G. Bravo Del Valle, 2020
©Publicaciones Pleno Vuelo, 2020

ISBN-13: 979-8-6825-6521-4

Edición del texto: Doris E. Lugo Ramírez, Ph.D.
Corrección: Shirley M. Silva Cabrera, Ph.D.
Diseño y Producción: ZOOMideal
Director de Arte: Juan Carlos Torres Cartagena
Diseñador gráfico: Crystyan Ortiz Pérez
Director de Producción: Arturo Morales Ramos

Diseñado en San Juan, Puerto Rico
Impreso en Estados Unidos

publicacionesplenovuelo@gmail.com

Índice

A la memoria de Ciarelys Bravo Pagán,

un espectacular ser de luz.

"Cuando una persona pierde la vida, los seres humanos catalogan ese día como el de su muerte, pero en el lenguaje de los que ya se han ido, ese día significa el de su nacimiento porque regresan a su estado original, la verdadera esencia de su ser, lo que realmente son: Espíritus".

Agradecimientos

La redacción de este libro es producto de la intervención de seres de luz que se manifestaron como "Mensajeros de Dios", y de personas que fueron instrumentos suyos. Mi más profundo agradecimiento a estos seres avanzados espiritualmente que me transmitieron mensajes inspiradores para estos tiempos. A mis ángeles de protección, que siempre me han acompañado en los momentos buenos y en los difíciles. Mi eterno agradecimiento a todos, pero muy en especial a mi Señor Jesucristo que me llevó de su mano y me inspiró en todo momento. Sin Él este libro no se hubiera completado.

Un agradecimiento especial a mi adorada hija Ciarelys, quien, en su proceso de transición a su nuevo hogar, me transmitió paz, amor, sosiego y especialmente comprensión para todo lo ocurrido. Mil gracias también a su amiga Kennaly; a sus primas Paula y Patricia; a sus hermanos Luisito y Javier; a su tío Louis y a mi prima Naydín. Un reconocimiento especial a mi esposa Evangelina Pagán "Vangie", madre de Ciarelys y quien siempre me ha apoyado en todo, aún en este proyecto que implicó revivir lo que también fue su pérdida, pero que ha sobrellevado con gran fuerza. A ella, la mujer que he amado por 38 años, mi sincero agradecimiento.

Preámbulo

Cartas de Ciarelys con Atisbos de Eternidad

13 de mayo de 2012

Carta a mi hermosa Madre con amor en el Día de las Madres

Mami:

No sé cómo expresar lo mucho que te amo, te adoro y te valoro. Eres mi alma, vida y corazón. No me alcanzará la vida jamás para devolverte todo lo que has hecho por mí. Has sido vital y esencial en mi vida. Todo lo que soy te lo debo. Te estoy eternamente agradecida por estar ahí siempre hasta en el más mínimo detalle. Gracias por apoyarme en esta gran experiencia y sueño al igual que lo has hecho siempre. Esta experiencia me ha enseñado a valorar más y más cada detalle que haces por nosotros, te lo agradezco de corazón y desde lo más profundo de mi ser. Me ha encantado aprender y hacer estas cosas, me he divertido mucho, pero reconozco el trabajo y el sacrificio de hacerlo para una familia. Es increíble tu inmenso amor que en la distancia se siente aún más. Eres mi vida, significas un mundo para mí. Eres literalmente mi oxígeno, mi tesoro y mi gran felicidad. GRACIAS MAMA. Dios TE BENDIGA SIEMPRE y te multiplique todo lo que haces por mí, por tu hijos, por tu familia. Sin ti mi vida no sería la misma. Madre solo hay una, y esa eres tú! ERES LA MEJOR MADRE DEL MUNDO!

TE AMOOOOOOOOOOOOOOOOOOOOOOOOOOOOOO MUCHISIMOOOO!!!!

Con el mas inmenso amor del mundo, tu hija, Ciarelys

6

17 de junio de 2012

Carta a mi queridísimo y amado padre en el Día de los padres:

Papá:

Eres tan esencial como el aire que respiro, Te Amo y Te adoro con la vida. No tienes una idea cuánta falta me has hecho en este viaje. Todas las cosas que me has contado a lo largo de mi vida sobre estos lugares son verdad. Quisiera repetir el viaje contigo. Te doy las gracias por permitirme vivir esta experiencia y por apoyarme en todas las cosas de mi vida. Nada será suficiente para devolver el esmero, la dedicación y el amor con los que desde muy pequeña me has criado. Gracias a ti soy quien soy hoy día, y todas las herramientas que has utilizado para formarme me han hecho llegar tan lejos como el suelo donde estoy parada ahora mismo. Gracias por siempre buscar lo mejor para mí y por el sacrificio que haces por tus hijos y tu familia. Eres un gran regalo de Dios que me hace eternamente feliz. Gracias por tu amor y a Dios por la bendición de tenerte, eres mucho más de lo que se puede pedir en un padre. GRACIAS PAPÁ. Dios TE BENDIGA SIEMPRE y te multiplique todo lo que has hecho por mí, tus hijos y tu familia. Sin ti mi vida no es lo mismo. ERES EL MEJOR PADRE DEL MUNDOOOOOOOOOOOOOOOO!!!!

TE AMOOOOOOOOOOOOOOOO MUCHISIMOOOOO!!!:D

Con el mas inmenso amor del mundo, tu hija, Ciarelys

◄ Transcripción de las últimas cartas escritas por Ciarelys y enviadas a sus padres desde España con motivo del Día de las Madres y Padres.

Prólogo

Nunca en mi vida pensé que iba a escribir un libro, para ser más preciso, ni siquiera lo pensé por un segundo. Honestamente escribir un libro es una tarea extremadamente difícil y compleja, especialmente si usted no es escritor, como es mi caso. Pero las circunstancias de mi vida y las de mi familia cambiaron drásticamente por un giro inesperado que alteró nuestra existencia y me convirtió también en un aprendiz en vuelo. Después de ese vuelco, yo comencé a percibir ciertas manifestaciones que me impulsaron a transmitir no solo nuestra difícil experiencia sino los mensajes que recibí. Como parte de estos mensajes, se me comunicó que debía publicar lo experimentado a través de un libro, que se me darían todos los pasos del proceso, desde la confección hasta su publicación. Iniciaré esta encomienda narrando brevemente lo que era mi vida antes de describir el acontecimiento que alteró nuestra existencia.

Nací en Santurce, Puerto Rico, un bello país en el Mar Caribe el 8 de septiembre de 1954. Mis padres fueron Fernando y Carmen, dos seres extraordinarios que, tanto a mí como a mis hermanos, nos enseñaron altos valores morales y nos dieron calidad de vida, a pesar de no ser ricos. Tuve una niñez excepcional, llena de bellos recuerdos, muchas alegrías y pocos sinsabores. Mis estudios elementales y de escuela superior los cursé sin problemas en colegios laicos y católicos que me estimularon a iniciar estudios universitarios en la Universidad de Puerto Rico, Recinto de Río Piedras.

Terminé mis estudios universitarios en diciembre de 1975 y mi primer trabajo fue en el Departamento de Salud, en el cual laboré dos años para luego trasladarme a la Oficina del Contralor de Puerto Rico. En dicha oficina trabajé por nueve años y, precisamente, en 1978, cuando realizaba una auditoría en el Tribunal Superior de Caguas, PR conocí a Vangie. Nos casamos un 6 de julio de 1980 y procreamos tres hijos: Luisito, Javier y Ciarelys.

◀ Ciarelys con sus padres y sus hermanos Luis Gilberto y Luis Javier (junio 2005)

En el 1987, me trasladé a trabajar a la Oficina de Gerencia y Presupuesto (OGP) en San Juan, PR en donde estuve por espacio de diecinueve años. En la OGP alcancé varios puestos de importancia, siendo el último un puesto ejecutivo como representante alterno del Gobernador ante la Agencia Federal para Manejo de Emergencias (FEMA por sus siglas en inglés). Dirigir esa oficina era una tarea ardua por la gran cantidad de trabajo y la responsabilidad que conllevaba, ya que dicha oficina la componían más de setenta empleados. Finalmente, el 31 de octubre 2005 me jubilé con treinta años de servicio a mi país.

Como pueden ver mi vida era igual a la de muchos puertorriqueños dedicados a trabajar y a levantar una familia para luego disfrutar de los beneficios de los esfuerzos realizados, junto a los suyos.

En el 2012, llevaba seis años de retirado y mi vida era plena. Disfrutaba de salud, paz, felicidad, viajes y amor. Cada vez que despedía un año me decía: "Dios mío, cada año supera en felicidad al año anterior". Sin embargo, en mi interior, tenía una gran preocupación de que algún día ocurriera algo que limitara tanta felicidad. Habían sido cincuenta y siete años de ensueño, en todos los aspectos de mi vida. Entonces, el 7 de agosto 2012, de forma abrupta y demoledora todo giró trescientos sesenta grados; para mí, se acabó la felicidad: nuestra joven hija Ciarelys sufrió un colapso de salud, partiendo para siempre.

A pesar de esta desgarradora experiencia sufrida por nuestra familia, varios sucesos esperanzadores, alentadores y con toque divino ocurrieron posterior a esa fecha y fueron como un bálsamo para nuestro gran dolor. Estos episodios parecían estar preparados por Dios con el propósito de ayudarnos a entender lo ocurrido e intentar alentarnos a continuar con nuestras vidas de la mejor manera posible. En efecto, el apoyo incondicional de Dios, su amor y misericordia, han resultado nuestro oxígeno para continuar adelante con nuestras vidas. No nos ha abandonado en ningún momento. Hemos sentido su presencia cada segundo de nuestras vidas. De hecho, el aferrarnos a Dios fue la única forma de aliviar la depresión emocional que este servidor y su familia sufrieron. De otro modo, hubiera sido muy difícil.

Además de relatar nuestra dolorosa vivencia, este libro expone otras experiencias. Unas que llamo **revelaciones** y otras, **mensajes** espirituales, inspiradores y motivadores que fui recibiendo posterior a la trágica fecha. Las doce revelaciones comprenden las diversas vías que Ciarelys utilizó para manifestarse o comunicarse conmigo, a través de sueños, personas, lecturas e incluso con su presencia perceptible, para darme un aliento de paz y tranquilidad. Le adjudico gran importancia a estas experiencias debido a que mi vertiente espiritual acostumbrada distaba mucho de prácticas o canalizaciones que pudieran considerarse espiritualistas.

Las segundas, son doce mensajes de ayuda celestial que provinieron de lo que llamo seres de luz de diversos planos y rangos. Algunos, fueron comunicados por ángeles, maestros o seres que no siempre logré reconocer, pero que vinieron a demostrar su amor incondicional por mí y por toda la humanidad. Por supuesto, todos fueron liderados por Dios. Muchos de estos mensajes o información se me transmitía de manera imprevista y directa a mi mente, de tal manera que yo podía distinguir que no era un pensamiento mío. Podía estar en cualquier actividad o en mis propios pensamientos, pero cuando los recibía sentía el impulso de escribirlos o se me ordenaba: "Ve y escríbelo".

También, comparto mis **reflexiones** sobre estos mensajes; cada vez que los recibía, pedía, a través de la oración, el desarrollo del pensamiento para transmitirlo con precisión y para que se me dieran las palabras reflexivas adecuadas. En más de una ocasión, después de orar recibía otro mensaje. Por esta razón, observarán que algunos están alternados con las revelaciones -porque surgieron después de esta- y, otros, son seguidos. Aunque, podrían no guardar relación con las manifestaciones, en el orden en que surgieron, fueron de gran crecimiento para mí. Espero puedan serlo también para el que lector.

El objetivo principal de este escrito es servir de aliciente y consuelo a aquellas personas que han sufrido la pérdida repentina y abrupta de un ser querido. Ese dolor es uno que no se puede describir, pero buscando en el diccionario encontré la palabra que mejor describe tan inmenso dolor: DEVASTADOR, porque es un dolor "que destruye, arrasa y no deja lugar a réplica".

Por la gracia divina, en los meses subsiguientes al 7 de agosto de 2012, pude entender el porqué de lo ocurrido. Dios me hizo comprender que los hijos son de Él primero, y luego, nuestros. Pude comprender a qué vino mi hija querida a la tierra y la razón para su abrupta partida. Fue un proceso extremadamente difícil, pero he ido recibiendo consuelo y entendimiento hasta el día de hoy. En alguna medida, tanto mi familia como yo hemos amortiguado este sufrimiento que, en menor grado, aún existe. Pero pienso que se irá transformando hasta otorgarle un nuevo sentido y significado a la vida hasta el final de nuestros días. Confío que este libro pueda ayudar a toda persona que como nosotros haya tenido una prueba similar.

Ciarelys y sus padres (2006)

El día jamás pensado

Era una bella tarde del domingo 5 de agosto de 2012, disfrutaba del mar junto a mi esposa Vangie en el pueblo de Fajardo, un encantador pueblo costero al este de Puerto Rico rodeado de hermosas playas. Nos encontrábamos en las facilidades del terminal de lanchas desde donde partían y regresaban las embarcaciones que iban a la isla municipio de Culebra, municipio al este de Fajardo. La brisa era deliciosa, ni fría, ni caliente; un exquisito sol adornaba la impresionante vista más allá del horizonte. Esperábamos pacientemente por el regreso de nuestra hija Ciarelys, luego de cuatro días de acampar con varias amistades en las playas de la mencionada isla.

El viaje a Culebra se había planificado con algunos meses de anticipación desde Salamanca, España, donde Ciarelys había realizado un feliz viaje de intercambio universitario para estudiar en Salamanca, España en el semestre de enero a junio 2012. La espera en el terminal de lanchas fue interrumpida, una amiga de nuestra hija nos comunicó que ya Ciarelys había llegado en una lancha más temprano e iba camino a casa, y que no nos había llamado porque su teléfono se había quedado sin carga. Entonces, regresamos a casa ya entrada la noche. Ciarelys llegó a casa una hora después que nosotros, nos percatamos que lucía muy débil y deteriorada. Se quejaba de dolor de cabeza, parecía tener algo de fiebre, estaba mareada y con dolor abdominal. Todos nosotros, incluso ella, atribuimos su malestar al viaje de regreso y a las turbulentas condiciones del mar. Ciarelys se dio un baño y se acostó a dormir.

Al día siguiente –6 de agosto 2012–, levanté a Ciarelys temprano para ir al médico más cercano. Ella tenía un semblante, como cuando uno tiene una fuerte gripe o monga, como decimos en PR. Al llegar a la oficina, el médico la examinó y básicamente determinó que era un virus y confirmó nuestras sospechas. Conjuntamente con Ciarelys, llevé a mi hijo Luisito que lucía muy mal. Tanto era así, que a Ciarelys se le recetó un medicamento líquido, mientras que a Luisito se le ordenó un laboratorio. Realizamos ambas órdenes médicas y nos dirigimos a casa a descansar. Llegamos a nuestro hogar cerca de la 1:30 p.m. Mis hijos se fueron a sus respectivos cuartos y yo me dediqué a ver las Olimpiadas. Al final de la tarde, me asomé a los cuartos de mis hijos; ambos dormían. La noche transcurrió normal; aunque ellos lucían enfermos no parecía haber un deterioro mayor en su condición.

El martes 7 de agosto de 2012, me levanté temprano a llevar a mi esposa a una cita médica. La dejé en la oficina médica y me regresé a casa alrededor de las 11:00 am. Entonces, el cuadro familiar era distinto. Cuando entré al cuarto de Ciarelys, lucía muy afectada en su condición de salud. De inmediato ella indicó: "Fui al baño y me cansé. Sentí un dolor en el pecho". El baño estaba a solo tres pies de su cuarto (puerta a puerta), por lo que era altamente preocupante que se hubiera fatigado. "Prepárate que tenemos que ir al hospital", respondí rapidamente, y le prohibí volver a tomar el medicamento pensando en un posible efecto secundario, por ejemplo, una taquicardia. Fui a buscar a mi esposa y al regresar a casa, cerca de las 2:00 p.m., el cuadro era aún peor. Ciarelys lucía en extremo debilitada, con los ojos caídos y no se podía mantener en pie. Luisito me indicó que la había ayudado a bañarse porque ella no podía sola. Recogimos rápidamente algunas cosas pensando en una hospitalización y entre mi esposa y mi hijo, ayudaron a Ciarelys a bajar las escaleras porque ya no podía caminar. La montamos en el carro y emprendimos viaje al hospital. Mientras guiaba miraba a mi hija por el espejo retrovisor y veía en su rostro dolor, pero además su rostro reflejaba gran preocupación. Se quejaba mucho y particularmente se tocaba el pecho. Le pregunté: "¿Te sientes muy mal?". Me respondió: "Sí, me siento muy mal. Creo que voy a morir". Inmediatamente su madre y yo le refutamos y le dijimos que íbamos a luchar. En ese momento, me preocupé mucho por esas palabras y por primera vez estuve consciente de la magnitud de lo que ella sentía.

Pero, lo que es aún peor, en ese momento recordé que su mejor amiga Tiffani (quién la acompañó a España) nos había contado que poco antes del viaje de regreso a Puerto Rico, Ciarelys se había levantado en tres ocasiones llorando desconsoladamente. Nunca quiso contar porqué se había levantado tan apesadumbrada, pero solo indicó que no quería regresar a Puerto Rico. Aquello era una declaración muy extraña, porque ella adoraba a toda su familia, y yo lo recordaba en aquellos precisos momentos de tanta tensión. Pensando en esto, apreté el acelerador para tratar de llegar al hospital en el menor tiempo posible.

Al fin, estábamos cerca del hospital y Ciarelys se quejaba fuertemente: "Ay, ay, ay… ay, ay, ay…". Llegué frente a la Sala de Emergencias del Hospital de la Universidad de Puerto Rico en Carolina, y mi esposa pidió llamar al personal médico y a una escolta para trasladarla en una silla de ruedas. Enseguida apareció una doctora muy joven y en cuanto abrimos la puerta del carro, Ciarelys cayó medio cuerpo hacia afuera, con sus ojos totalmente blancos y sus pupilas dilatadas. Mi esposa y yo comenzamos a gritar sin control. La doctora sin embargo, indicó: "Tranquilos solo está convulsando. Vamos a estabilizarla". Dejé a mi esposa y mi hija en la Sala de Emergencias. Mientras me dirigía a estacionar el carro, comencé a llorar y a suplicar a Dios, sin saber la magnitud de lo que ocurría: "No te la lleves Dios, por favor, no te la lleves". Siempre me he quedado pensando por qué, desde este primer momento, pensé en algo mortal; realmente los seres humanos convulsamos por diversas razones y muchas de ellas no son letales.

Cuando finalmente estacioné mi vehículo, continué suplicando a Dios mientras lloraba sin consuelo. Abandoné mi carro y me dirigía de regreso a la Sala de Emergencias cuando sentí un dolor en mi pecho. Me detuve en un banquito a descansar mientras, continuaba hablando con Dios. Al sentirme aliviado, continué la marcha hasta la Sala de Emergencias. Allí me esperaba mi esposa, quién lucía sorprendentemente relajada. De inmediato me dijo: "Ya la estabilizaron, ella está consciente. Por ahora no puedes entrar". Sus palabras y su actitud totalmente relajada, me calmaron momentáneamente. Salí afuera del hospital para continuar orando, pero mi tranquilidad momentánea colapsó y nuevamente comencé a llorar. Tenía el extraño presentimiento de que el cuadro que presentaba era mucho más crítico de lo que parecía.

Transcurrieron unos quince minutos cuando mi esposa vino a buscarme. Al encontrarme me dijo: "Todavía sigues llorando. Ella está consciente y hablando. El médico dice que se va a reponer. Ven, ya puedes entrar". Llegué al cuarto de mi hija y ella tenía una mascarilla porque estaba recibiendo oxígeno, pero su rostro reflejaba dolor y más que eso, lucía afligida. Respiraba con dificultad y su mirada no era muy alentadora. Me dijo con firmeza: "Papá, llévenme al hospital cardiovascular. Que sea pronto. Se me escapa la vida". Le indiqué que iba a salir hacia adelante y que se tranquilizara.

Al momento, apareció uno de los médicos y nos explicó que un cardiólogo la había examinado. Según el galeno, entendía que nuestra hija tenía sangre alrededor del corazón, una situación delicada y que había que atender con prontitud. De inmediato mi esposa y yo hicimos las gestiones para que una ambulancia la trasladara a otro hospital, el centro cardiovascular en Centro Médico, Río Piedras. Regresamos al cuarto con nuestra hija. El cuadro era cada vez más desalentador. Mi esposa y yo le dábamos ánimo para que respirara con tranquilidad, pero su respiración en ese momento era acelerada y con dificultad.

Caminaba por el cuarto mientras continuaba orando. Estábamos desesperados, a punto de estallar. La situación se seguía complicando y la ambulancia no llegaba. Me esforzaba por pensar positivo, no quería concentrarme en lo peor, pero sabía (por la gravedad de sus síntomas) que había la posibilidad de algo terrible. Los médicos trabajaban con ella, pero su situación empeoraba. Me acerqué al pie de la cama, la continué alentando a respirar profundo y calmada. Entonces, le dí un beso en la frente. Inmediatamente después del beso, nuestra hija comenzó a girar la cabeza de un lado a otro en un gesto de desesperación. Al instante, comenzó a convulsionar por segunda vez y el personal del hospital nos obligó a abandonar la habitación para trabajar con tal circunstancia.

Nos trasladaron a otra área en desuso, de la sala de emergencias, acompañados por una enfermera. Mi esposa y yo llorábamos desconsoladamente; sabíamos con total seguridad, que estábamos en un momento de vida o muerte. Si usted no ha estado en una situación similar con una hija comenzando a vivir, de solo veintiun años, que disfrutaba de una excelente salud y que de repente se encuentra luchando por su vida… es difícil explicar lo que sentíamos; solo puedo decirle que es una experiencia atroz. Los minutos nos parecían años y los segundos, meses. La enfermera que nos acompañaba intentaba calmarnos sin éxito. Era el momento más desesperante y de mayor ansiedad de nuestras vidas; uno en el que usted no espera estar nunca. Mi esposa y yo, continuamos orando con fuerza cuando entró el médico que estaba a cargo: "Todo se ha complicado. Estamos trabajando con ella, introducimos una aguja cerca del pericardio para intentar sacar la sangre que se encuentra alrededor del corazón. No hemos tenido gran éxito, estamos haciendo todo lo posible para sacarla de su crisis… pero lamentablemente, ella va a morir".

Esta última oración, la cual dijo de manera categórica, llevó a mi esposa al piso y al tratar de que no se golpeara, caí con ella. Este era para nosotros el fin del mundo. Gritábamos, llorábamos, nos arrastrábamos por el piso. La enfermera trataba de calmarnos y de darnos fortaleza, pero estábamos viviendo un momento para el que no estábamos preparados, y que nadie quiere vivir.

Sentíamos un enorme dolor; y yo en mi condición de hipertenso crónico, comencé a sentirme mal. No le dije a mi esposa que estaba convencido de que al médico afirmar: "ella va a morir", realmente significaba que ya nuestra hija había muerto. Para mí, solo preparaba la escena para más adelante oficializar su deceso. Mientras tanto, nosotros solo reclamábamos: "Dios mío, por qué? ¡Explícanos! ¿Por qué?

La escena se prolongó varios minutos. Estábamos destruidos, nos habían arrancado la mitad del corazón de raíz, sin anestesia; de golpe y porrazo. Otro personal del hospital se unió para ayudarnos, incluso dos médicos más y algunos enfermeros. Poco después, llegó nuevamente el médico a confirmar el fallecimiento de nuestra hija. Casi nos quedamos en grado de inconsciencia, ambos nos pusimos muy mal y terminamos en camillas separadas.

Todavía recuerdo muy claro una frase que mi esposa gritaba: "Dios mío, tantos sueños, tantas ilusiones. Todo acabo". Aún al recordar esta frase me da un gran sentimiento. Amamos profundamente a nuestros hijos y con cada uno celebramos este amor de manera particular. En cuanto a Ciarelys y su madre, eran mucho más que eso. Eran íntimas, una para la otra y su afinidad era de un 100%. Pasaban horas juntas en el cuarto de ella y, cuando era en el nuestro, me echaban fuera para que no escuchara. Tenían un vínculo muy especial, se amaban con intensidad, se necesitaban, se confiaban todo (mi esposa sabía todo lo de Ciarelys); su unidad era casi a toda hora. Nuestra hija escuchaba con atención todo lo que su madre le decía y generalmente hacía lo que su madre le sugería como lo mejor para ella. Cuando su madre iba de compras, todo lo que veía era para Ciarelys; pensaba en ella todo el tiempo. Por lo tanto, podrán imaginar el impacto de la partida de nuestra querida hija en mi esposa. Le habían arrancado sus ojos, el corazón y su vida.

Transcurrieron alrededor de dos horas. En ese tiempo, mi hijo mayor, Luisito había llegado y al recibir la noticia casi se desploma; amaba entrañablemente a su hermana. Se reincorporó y decidió publicar la noticia para nuestros amigos en "Facebook". La noticia se propagó como pólvora. Tiempo después me enteré a través de muchos, que esa noche habían llorado como nunca en sus vidas. Nuestra hija era un ser extremadamente especial con todos (no solo con su familia). Era muy amorosa, cariñosa, comprensiva, leal, confidente perfecta; siempre alejada de controversias. Mucha gente la amaba con gran intensidad y era porque, por su forma de ser, era un ser fácil de amar. Ciertamente, nuestra niña era una fuente inagotable de amor, con los conocidos e incluso con desconocidos que tuviera algún contacto; se identificaba mucho con los ancianos, abandonados y niños desamparados. Por esto la noticia de su deceso tuvo un impacto grande en muchas, muchas personas.

Volviendo a la situación en la Sala de Emergencias, mi esposa y yo continuábamos recibiendo atención médica. En un momento dado se me preguntó si quería despedirme de mi hija, porque iban a trasladarla a la "morgue". No supe qué responder de primera intención, pero luego sentí la sensación de querer despedirme de ella, cobré valor y me levanté de mi camilla. Dejé a mi esposa y me llevaron a donde se encontraba ella y allí estaba mi niña, inerte; como en un sueño. Entonces me acerqué a su cama y llorando con un enorme dolor le dije:

Cuánto lo siento querida hija. Quizás debimos venir antes, pero nadie identificó lo que realmente tenías. Te amaré siempre, estarás en mi corazón hasta el fin de mis días. Te amo tanto, mi querida bebé. No puedo creer esto. ¡Oh hija, cuánta falta nos vas a hacer! Tus caricias, tus continuos abrazos, tus besos; todos esos gestos de cariño y amor. TE AMO TANTO.

(Lloraba sin consuelo). Entonces, finalicé: "Emprende tu camino hacia el Señor. Ya nos reencontraremos".

Le di un beso, le hice una pequeña caricia y caminando con dificultad me alejé de mi hija, con un dolor tan inmenso en mi alma… Retorné a mi camilla y poco después me trasladaron al Hospital Pavía en Santurce. Mientras iba en la ambulancia pensaba en tantas cosas, entre ellas en mi otro hijo Javier a quién había llamado a México, no estaba seguro si ya sabía del doloroso desenlace.

Finalmente, la ambulancia llegó al hospital en Hato Rey. Me realizaron múltiples pruebas y exámenes. No me lo dijeron, en ese momento, pero la realidad era que había infartado. Lamento no poder describir con mayor precisión, cuánto dolor sentía en ese momento, no era físico sino emocional. Es un golpe indescriptible que usted sabe que nunca lo ha sentido antes… te acaba con la vida. La realidad era que estaba absolutamente devastado, desalentado, con un vacío dentro de mi ser, que solo puede sentirse cuando se pierde a un ser que se había amado entrañablemente. Este deceso no era similar, por ejemplo, cuando murieron mis padres. Ellos fallecieron (a los ochenta y seis años (mi mamá) y a los ochenta y cuatro años (mi papá)), por el deterioro normal del organismo de un ser humano. Ambos estuvieron encamados varios años y los vimos acercarse a la muerte poco a poco; al momento de fallecer estábamos totalmente preparados. De hecho, yo no recuerdo haber llorado mucho cuando ellos partieron. No porque no los amara, porque los amaba con toda mi alma, sino porque era un desenlace totalmente esperado. La partida de nuestra hija no tenía explicación. Ella caminaba y hablaba el día antes; tuvo síntomas como los de una gripe, después… y al día siguiente, comenzó a fatigarse y a tener dificultad para caminar y en cinco horas, se nos fue. Era incomprensible. Mi hija era una joven perfectamente sana, en el esplendor de su vida, con muchos planes y metas. ¿Por qué ese desenlace tan abrupto? ¿Cómo los que nos quedamos en la tierra podemos resistir una pérdida tan grande? ¿Por qué una joven tan amorosa y con tanto por dar, se fue tan pronto? ¿La trayectoria que esta joven dejó, en tan corto tiempo, es una enseñanza para los que se quedan? ¿Este suceso es parte de la evolución espiritual de ella y de nosotros?

Las respuestas a algunas de éstas preguntas llegaron en los meses siguientes. Dios, con su infinita misericordia, me levantó a mí y a mi familia de nuestra depresión. Me fue dando respuestas a lo ocurrido y cada vez que recibía algún conocimiento del porqué, era un alivio para mi pena y un amortiguador al gigantesco dolor de perder un ser querido de forma tan inesperada.

1RA REVELACIÓN

Ciarelys Bravo Pagan

1971-2012

Descansa en Paz...

"Los Ángeles siempre están cerca de aquellos quienes estén afligidos, Para susurrarles en el oído que su ser amado está sano y salvo en los brazos del Señor"

1RA

Una despedida especial

Era la madrugada del 8 de agosto 2012. Se acababa de publicar en "Facebook" la increíble noticia de la partida de mi hija, con tan solo veintiun años de vida. Entre las muchas personas que me contaron que esa noche lloraron hasta el cansancio, estaba su gran amiga, casi hermana Kennaly. De pequeñas, ambas estudiaron en el mismo colegio de muy pequeñas, y desde el octavo grado Ciarelys comenzó a irse a su casa después de las clases en lo que yo salía del trabajo; incluso en ocasiones se quedaba allí hasta el otro día.

◄ Recordatorio despedida de Ciarelys

Definitivamente, Ciarelys era de la casa, no era una más, era considerada hija; No solo, por los padres de Kennaly, también por los tíos, primos y la abuelita. Así la querían.

Según nos contó Kennaly, al leer la triste noticia ese día, no lo podía creer (quedo incrédula como mucha gente). Volvía y leía el mensaje una y otra vez hasta estallar en un doloroso llanto. Lloraba sin control; se ahogaba en sus propias lágrimas. Igual que nosotros, se preguntaba por qué, y cómo pudo pasar algo así, tan repentino, tan sorpresivo. Los minutos pasaban y Kennaly, tirada en el sofá de la sala, continuaba llorando desconsoladamente. Muchos bellos recuerdos afloraban a su mente, recuerdos que, en vez de aliviar, incrementaban su dolor. Habían sido años tan felices y ahora su hermanita había partido repentinamente. Sin despedida, sin un abrazo y sin un beso. Cuánto extrañaría sus apretones de brazo, de cachete, sus caricias; sus continuos gestos de amor hacia todos. Ciarelita la única, la especial; la que vino a repartir amor al mundo se había ido.

Entonces Kennaly empezó a recordar las muchas cosas que habían hecho juntas, desde muy niñas; y continuó llorando sola, sin consuelo, en la sala de su casa. De repente, algo maravilloso ocurrió. Kennaly fijó su vista en el techo de su casa y de ahí salió una preciosa pluma blanca, que flotó suavemente deslizándose de un lado a otro hasta caer justo sobre su pecho. La tomó y notó que comenzó a relajarse. Entendía que el simple suceso significaba algo más: su adorada hermana le había contestado, había respondido a su dolor diciéndole: "Estoy aquí contigo y te amaré siempre". La pluma blanca, símbolo de elevación y vuelo era un mensaje de amor que no requería palabras: un nuevo ángel había incursionado al cielo y era su orgullo que ese ángel fuera su querida hermanita, que escuchó su llanto.

2DA REVELACIÓN

2DA

El plan perfecto de Dios

Una y otra vez, dentro de mi dolor pensaba en qué acciones pudiéramos haber hecho diferente para evitar su deceso. A pesar de que no sentíamos culpa por lo ocurrido, ocasionalmente afloraban en mí pensamientos como: "Si hubiéramos hecho esto o aquella acción". El sentimiento de pérdida era inmenso y lloraba con mucha frecuencia; el pesar era indescriptible. Era la madrugada del 9 de agosto 2012 (dos días de la partida de mi hija) y estando solo a las 3:00 de la madrugada en la cama del Hospital Pavía de Hato Rey, llorando amargamente, recibí un mensaje claro, preciso, contundente y alentador: "No te culpes por nada.

Todo ocurrió de acuerdo al Plan Perfecto de Dios y exactamente como Él lo había pre-determinado. Ninguna cosa que hubieras hecho iba a cambiar el resultado. Ese era su día de partir y nadie podía evitarlo".

De repente, sentí un gran alivio y dejé de llorar. Me senté en el borde de la cama sobresaltado por el mensaje. Transcurrió como un minuto y entonces continuó:

> Tu niña vino a la tierra con dos propósitos divinos. Se le encomendó una misión y se le preparó para una lección. Su misión era dar amor a todo el mundo, llenar los corazones con el amor de Dios. Su lección: aprender a perdonar cuando la ofensa o la herida era profunda. Ambas cosas las logró y es por ello que ella está muy feliz. Sus propósitos se cumplieron y entonces Dios la ha reclamado.

Detuve mi llanto por completo. No lo comprendía, pero sentí una gran paz. Una paz que provenía de mi interior y que en gran medida surgía de esa pausada y sanadora voz. Entonces, sentí curiosidad por saber, quién o quiénes me habían hablado. –¿Puedo saber quién me ha hablado? La respuesta inmediata: "Somos mensajeros de Dios. Hemos sido enviados por Él para apoyarte en tu difícil prueba. Te seguiremos hablando y deberás comunicarlo a través de un libro para compartirlo con otras personas. Es todo lo que diremos, por ahora".

El mensaje resultaba muy reconfortante para mi honda tristeza, muy particularmente al repasar determinadas partes como: "Ninguna cosa que hicieras iba a cambiar el resultado". Se me indicaba que no debía seguir lamentando algo que estaba de acuerdo, nada más y nada menos, que con un plan divino y que por tanto su resultado era inevitable, cualquier otra acción que nosotros hubiéramos tomado en aquel momento era irrelevante.

Resultó ser también muy interesante la segunda parte del mensaje al enfatizar el propósito de la existencia de Ciarelys en la tierra: vino a una "misión" y a aprender una "lección". Denota que todos venimos a la Tierra no a vivir por vivir, sino con un propósito definido de vida.

Entonces, una vez logramos lo que Dios nos encomendó, podemos volver a los brazos de nuestro Creador no importa la edad que tengamos.

Así como estos, luego de agosto 2012, no solo comencé a recibir este tipo de mensajes directamente relacionados a mi pérdida, sino que también comenzaron a comunicarme otros, igual de inspiradores y que provocaron en mí una reflexión. Los comparto a través de este libro, como me fue mandado.

3RA

REVELACIÓN

3RA

Siempre consoladora

Este relato lo transcribo tal y como lo relató otra amiga y compañera de colegio de mi hija Ciarelys:

Acababa de abrir mis ojos. Era un día de rutina camino a la universidad. De repente, mi mente se volvió a los tiempos de prepararme para ir al Colegio San Antonio desde donde cursé estudios por catorce años, es decir, desde pre-escolar. Recordaba con cierta melancolía cómo era recibida por mis amiguitas cuando llegaba al Colegio. Fueron momentos bellos de compartir, jugar y a nuestro modo querernos unas a otras. Recuerdo cómo compartíamos sin reservas, la manzanita o la pera que nos enviaban en la lonchera. Éramos como hermanas.

Mientras me dirigía al baño para lavar mis dientes, pensaba en los grandes momentos como el día del bautismo, y en nuestras graduaciones. Muchas de mis amigas me habían acompañado desde pre-escolar hasta concluir el cuarto año de escuela superior, solo mi adorada amiga Ciarelys se había marchado a morar con nuestro Señor.

Preparaba mi cepillo de dientes cuando concentré mis pensamientos en los bellos momentos con mi queridísima amiga. ¡Qué mucho disfrutábamos cuando nos íbamos de excursión, cuando salíamos bien en los exámenes luego de estudiar juntas, y cuánto llorábamos porque no salíamos bien (las menos veces)! Tengo en mi corazón unos recuerdos tan bonitos como la graduación de primer grado, la de octavo grado, el, Senior Prom, y nuestro Día de Fuga del Colegio. Luego de ser tan felices… ¡cuánto cambia la vida de un momento a otro! Recordé cómo lloré aquella noche cuando leí de su partida en el "Facebook". Han transcurrido dos semanas y aún no lo puedo creer. Viene a mi mente su carita sonriente, sus continuos gestos de afecto, como eran sus apretones. Era tan cariñosa, brindaba amor a granel. Sentí deseos de llorar, comencé gimiendo y finalmente caí en un fuerte llanto. Tenía mi cabeza inclinada hacia el frente mientras me enjuagaba la boca. Mi llanto se había intensificado. Entonces, levanté mi cabeza cuando terminé de lavar mis dientes… ¡qué gigantesca sorpresa! Ahí estaba ella, podía verla por el espejo justo detrás de mí. Quedé inmóvil, tensa. Era una reacción normal para un evento "sobrenatural". Sin embargo, me fui relajando porque ella era mi entrañable amiga de toda la vida. Me sentí más calmada al verla tan radiante, bellísima, muy feliz. Entonces sentí que me transmitía una sensación de paz infinita; algo divino, igualmente sobrecogedor. Ella continuaba ahí, radiante con un resplandor inigualable. Lentamente se fue acercando hasta llegar a mí. Luego, me abrazó y puso su mejilla sobre mi hombro. Podía sentirla, irradiaba amor y consuelo sobre mí. Su abrazo duró unos diez segundos, que me parecieron eternos. Entonces, me soltó, alejándose lentamente, sonriente en todo momento. Luego se desvaneció ante mis atónitos ojos.

La experiencia fue inigualable. Jamás había vivido algo así. Mi adorada amiga había venido a calmar mi llanto. Siempre leal, siempre amorosa, siempre comprensiva; siempre consoladora.

4TA REVELACIÓN

4TA

Acá nos veremos

Transitaba por el expreso Luis A. Ferré (PR52), el miércoles 29 de agosto 2012, unas tres semanas después de la partida de mi hija y de haber finalizados los procesos funerales. Venía muy concentrado en el tránsito vehicular y no pensaba en nada en particular. Aunque me sentía relajado, estaba sumido en una profunda depresión en esos días.

De repente, a la distancia vi el Centro Cardiovascular de Puerto Rico y el Caribe. Mi mente voló al 7 de agosto 2012, día de la partida de nuestra hija. Recordé cómo ese día, mientras Ciarelys era atendida en el Hospital de la Universidad de Puerto Rico, un cardiólogo la examinó, concluyendo rápidamente que tenía sangre alrededor del corazón. El galeno sugirió que la trasladaran de inmediato a este hospital, especializado en cardiología. Se realizaron los trámites para que una ambulancia la trasladara, pero lamentablemente el desenlace fatal ocurrió antes. Nuestra hija clamaba porque la trasladaran con la mayor prontitud a ese hospital, porque ya se sentía muy mal. Comencé a recordar, sus quejidos y lamentos, sin saber que esas serían sus últimas quejas. Entonces, sentí una gran pena por no haber podido trasladarla y darle una esperanza de vida. Aquellos vívidos recuerdos me embargaron de tristeza y mientras aún conducía, y me acercaba al hospital cardiovascular, se incrementó mi llanto.

Mientras lloraba con un profundo dolor, no quitaba la vista de la estructura del centro cardiovascular. Entonces surgió una voz de mi interior, suave, pero muy firme y clara: "No llores por mí, papá. Yo estoy muy bien y muy feliz. Continúa con tu vida haciendo lo que Dios te ha ordenado hacer y cuando llegue tu momento, acá nos veremos".

Tan pocas palabras, pero cuán reconfortantes. Me desvié de la autopista y luego me detuve fuera de la carretera a pensar sobre el corto, pero reparador mensaje. Primero indicó estar bien y feliz, lo que me llenó de una gran alegría. Luego fue más precisa al indicar "continúa con tu vida haciendo lo que Dios te ha ordenado hacer". Entendí que debía seguir mi vida como Él me la trazó"; es decir tenía que completar mis propósitos de existencia y una vez los completara, llegaría el momento de partir (hora que todo el mundo tiene). "Acá nos veremos", o sea, no te preocupes, nos reencontraremos. ¡Fantástico! ¡Fabuloso! ¡Que grande eres mi Señor! Esas cortas palabras se han repetido en mi interior múltiples veces, por lo que significan.

Luego de esta bella experiencia fui mejorando considerablemente en el aspecto emocional. Cada vez que afloraba alguna situación depresiva, ese bello mensaje volvía a mi corazón, igual que los siguientes.

Todos somos iguales

"Todos los seres humanos sobre la faz de la tierra son hermanos; no importa la raza, ni la condición social o su origen. Esto es así, porque todos son hijos del mismo Padre".

Reflexión:

A través de los siglos, la humanidad se ha enfrentado en diversos conflictos, polémicas y guerras. La mayoría de las veces esto ocurre porque muchos seres humanos piensan que, por pertenecer a equis nación, raza o religión, pueden atacar, insultar o hasta el extremo de quitarle la vida a los otros que no profesan lo mismo, pero olvidan que, ante los ojos de Dios, están haciéndoles daño a sus propios hermanos. Toda acción violenta que cause daño a otro ser, no es agradable a los ojos del Creador, no importa cómo ocurra la agresión.

Ninguna agresión (y hago énfasis en la palabra ninguna) está justificada ante Dios. El término agresión no se limita a infligir un golpe, castigo corporal o llevar a cabo el peor de los pecados: matar a otro ser humano. Herir con palabras a otro puede ser tan perjudicial como un golpe, si dichas palabras causan un grave daño emocional. A veces, lo hacemos de manera inconsciente o bajo un coraje. Aún ante estas circunstancias dicha acción es injustificada. Generalmente cuando actuamos bajo un coraje, actuamos de manera incorrecta. Es recomendable en esta situación abandonar la escena de la discusión, yendo a caminar o tomando el carro para dar una vuelta, por ejemplo. Entonces de esta forma, evitaríamos cualquier acción de la cual pudiéramos arrepentirnos por el resto de nuestras vidas.

¿Harías daño a un hermano tuyo? Debemos recalcar que hermanos somos todos porque somos una Gran Familia, no por consanguinidad, sino por relación divina. Nuestro Padre Celestial, el Rey del Universo, el Todopoderoso es el Padre de toda vida. ¡De cuántas tragedias, guerras, conflictos, antagonismos, acciones de mala voluntad, nos hubiéramos librado si hubiéramos tenido presente esta irrefutable realidad!

En San Lucas 6: 27-29* se nos dice: "Yo les digo a ustedes que me escuchan: "Amen a sus enemigos, haced el bien a los que os odien, bendigan a los que os maldicen, rogad por los que os difamen. Al que te hiera en una mejilla, preséntale también la otra; y al que te quite el manto, no le niegues la túnica". Si hubiéramos hecho esto que nuestro Hermano Mayor Jesucristo Nuestro Señor nos dijo hace dos mil años, ¿no hubiéramos vivido en un mundo mucho mejor? ¡¿Cuánto sufrimiento se hubiera economizado la humanidad?! Nuestros pecados y las malas acciones se hubieran reducido considerablemente. Resulta penoso

---

* Todas las citas bíblicas usadas en este libro fueron tomadas de La Biblia de Jerusalén, https://www.bibliacatolica.com.br/la-biblia-de-jerusalen/genesis/1/.

ver cómo algunas personas atacan, insultan o menosprecian a otro ser humano por cualquier motivo con el mayor grado de insensibilidad, como si vivieran en el tiempo antes de que nuestro Señor Jesucristo viniera a la tierra a su Sagrada Misión, que imperaba el dicho de "ojo por ojo y diente por diente". Es decir, tú me hacías y yo te devolvía el daño. Nuestro Señor Jesucristo vino a revertir esto y a desautorizarlo completamente en nombre de Dios. Del viejo dicho a lo expresado por Jesús, había una enorme diferencia. El primero, reflejaba venganza, odio, desamor, pero las enseñanzas de nuestro Señor por el contrario mostraban conservar la paz, no albergar un desquite y dar mucho amor.

El texto bíblico es retador al indicar: "Al que te arrebata el manto, no le niegues la túnica". Implica que no solo debemos cederle lo que nos ha arrebatado, sino darle más de lo que nos pide. Habría que pensar que si lo ha arrebatado, es sin duda, porque tiene mayor necesidad que uno, entonces desde ese punto de vista, ¿por qué no cedérselo? Pero podemos ir más lejos, no es que nos volvamos más generosos, es que le estamos entregando el manto a un hermano nuestro que se encuentra en necesidad. Si le damos fuerza a este sentimiento de Hermandad Universal, sentiremos que ni el manto ni la túnica nos harán falta. Seguramente, tendremos la satisfacción de haber ayudado a un hermano que pasaba frío, incluso podemos llegar a pensar que nunca nos fue arrebatado, le pertenecía.

La sangrienta historia de la humanidad no hubiera sido de ese modo si al sentarnos en una mesa a dialogar, nos hubiéramos visto como una Gran Familia. Posiblemente muchos conflictos no se hubieran producido y muchas matanzas se hubieran evitado. Hay demasiadas pérdidas causadas porque aquél es alemán, el otro americano, árabe, colombiano o chino; blancos, negros, mestizos; pobres, ricos; católicos, adventistas, pentecostales, jesuitas, etc. Gran error cometido por la humanidad, porque ante los ojos de Dios esas segregaciones no existen. Él es el Padre de todos y por lo tanto, nos ve a todos iguales y nos ama a todos por igual.

Nuestro Señor Jesucristo fue muy claro al responder a la pregunta de cuál era su nuevo mandamiento. De inmediato respondió: "Amarás a tu prójimo como a ti mismo" (Marcos 12: 31). Este mandamiento de nuestro Señor es quizás la más importante enseñanza que nos brindó. Y es precisamente porque tu prójimo es tu hermano. Si amáramos al prójimo como nos amamos nosotros mismos, sin duda viviríamos en un mundo mucho mejor del que vivimos.

Completa primero tu expediente espiritual

"No hay nada malo en que desarrolles un dossier personal con muchos logros. Pero procura que tus mayores logros estén en tu expediente espiritual. Después de todo, sobre este es que has de rendir cuentas".

Reflexión:

Muchas personas dedican gran parte de su existencia a alcanzar metas profesionales, que esencialmente lo ayudan a tener una mejor calidad de vida. Estudian incansablemente para obtener grados, bachilleratos, maestrías, doctorados y otros títulos derivados de varias profesiones. Este esfuerzo es bien visto ante los ojos de Dios, más aún si dichos logros se alcanzan con gran dedicación, esfuerzo y sacrificio; y en un marco de completa humildad por parte de quién lo alcanza.

Sin embargo, los triunfos que más aprecia Dios son los que se alcanzan cuando es nuestra alma la que triunfa. Estas traen satisfacciones y alegrías cuando tienen un matiz de amor; de amor a toda nuestra Gran Familia: nuestro prójimo; todos los seres humanos. Cuando compartimos nuestro pan con ellos, o nuestra ropa, fortalecemos a nuestro expediente espiritual. Cuando sentimos compasión por el desamparado que vemos todos los días y le extendemos nuestras manos; cuando vamos voluntariamente a un hogar de ancianos, donde quizás no conocemos a nadie, para llevarles un poquito de amor y afecto, constituye otro logro para nuestro expediente espiritual. Recordamos que entre las muchas aseveraciones de gran trascendencia y profundidad de la Madre Teresa de Calcuta se le adjudica haber dicho: "Si no se vive para los demás, la vida carece de sentido".

Recientemente me encontraba en la iglesia, lugar donde me siento completamente relajado y en absoluta armonía con el Creador. Por tal razón, generalmente, no me fijo en mi alrededor, porque estoy totalmente inmerso en afinidad con Dios. Sin embargo, en esa ocasión, me había llamado la atención, una dama elegantemente vestida que estaba justo al frente mío y que participaba del servicio con gran devoción. Cantaba con gran ímpetu y colaboraba de la rutina litúrgica. Yo estaba impresionado con el fervor con que la dama era parte de todo el proceso.

El servicio religioso terminó y entonces me dirigía de regreso a casa. No había viajado muy lejos de la iglesia, cuando me detuve en un semáforo con luz roja. Justo frente a mi auto, un desamparado pedía limosna con un pequeño vaso, una escena que lamentablemente es muy común en nuestro país. Entonces, vi cómo la persona, que conducía el vehículo de enfrente (un precioso Jaguar blanco), cuando el pedigüeño se le arrimó, soltó el pie del freno y el espejo retrovisor, le pegó en el codo haciendo que el vaso cayera en la carretera y también algunas monedas. No obstante, el conductor no pareció inmutarse y al cambiar el semáforo continuó su marcha. Me detuve brevemente y le pregunté al hombre si se encontraba bien. Entonces continué mi marcha, pero con la determinación de alcanzar el auto blanco e increpar a la persona por aquel acto, sin el mayor reparo. Pienso ahora que, aquella acción posiblemente no me correspondía, pero en ese momento mi sensibilidad estaba a flor de piel. Finalmente, en otro semáforo alcancé el Jaguar blanco. Cuánta fue mi sorpresa al ver que el Jaguar era conducido por la misma dama que con tanta devoción participaba en la iglesia. ¡Qué gran decepción! La mujer que tanto me había impresionado, se comportaba con un alto grado de insensibilidad y muy poca misericordia.

Este suceso, fue un magnífico ejemplo que se me permitió ver para ilustrar el mensaje sobre el expediente espiritual vs el personal o profesional. Luego supe que esta persona era una doctora, con estudios universitarios en los Estados Unidos y varios reconocimientos. Pero de qué valía todo eso, si a la menor oportunidad de mostrar compasión, amor y caridad, por otro ser humano falló. Los logros académicos y reconocimientos son vacíos si se carece de amor.

No obstante, existen muchas personas que con el mayor desprendimiento dan muchas horas para servir a los más desventajados con servicios de salud, comida y ropa. También, otros voluntarios les brindan alimento espiritual.

Debemos procurar que nuestros méritos y logros tengan ese sello de amor que Dios infundió en nosotros desde que nacimos. Los verdaderos logros son los relacionados con actos de buena voluntad, gestos de amor y compasión, acciones de caridad y misericordia para con nuestro prójimo. Cada uno de estos actos aportarán a la evolución nuestra y al crecimiento de ese expediente espiritual que colma al alma y su verdadero propósito terrenal.

5TA REVELACIÓN

¡Bienvenido a Casa! Don Rafael

El Colegio San Antonio en Río Piedras, tenía un programa de horas dedicadas a la comunidad. Básicamente consistía en que el estudiante empleara un sinnúmero de horas para realizar trabajos comunitarios. Una de las labores comunitarias que Ciarelys realizaba era visitar un hogar de ancianos en el mismo pueblo de Río Piedras. Visitaba este hogar con bastante frecuencia porque ahí, según ella decía, se sentía muy feliz dándole comida a los ancianos, moviéndolos de sitio, hablándoles para entretenerlos y otras labores que le llenaban de satisfacción. En dicho hogar, pasó la mayoría de las horas comunitarias que le requirieron. Allí conoció muy particularmente a un encantador ancianito que se quedó con su corazón.

Las visitas que Ciarelys realizó a este centro fueron muchas, atraída particularmente por el anciano don Rafael. Ella contaba que conversaba mucho con él, cosa que no podía hacer con otros, por éstos estar limitados para hablar. Un día, me contó:

"Hoy hice muchas cosas en el hogar y luego me senté con don Rafael. Papá, él es encantador, muy amoroso, de buenos sentimientos. Me da mucha pena con él porque nadie de su familia viene a visitarlo y está muy consciente y alerta; por cuanto, se da cuenta que nadie lo procura. Esto lo hace sufrir mucho y así me lo ha dicho con sus ojos humedecidos. Me da mucha lástima, porque es un ser noble, amoroso y de un gran corazón. Don Rafael me recuerda a tu papá, abuelito Nando, a quien yo tanto adoré".

Ciertamente la química entre don Rafael y mi hija era impresionante. Siempre que visitaba el hogar de ancianos venía con nuevos relatos de él. Otro día me dijo: "Papá, hoy don Rafael me dio cinco dólares para que se los juegue en la lotería. Igual que abuelito Nando, le gusta jugar, pero me los dio escondido porque se lo tienen prohibido".

Habían transcurrido unas tres a cuatro semanas desde la partida de mi hija. Un día pensé, "Caramba, que sería de la vida de aquél anciano que mi hija quiso tanto". Entonces, en una ocasión que conducía cerca del centro de ancianos, me propuse visitarlo. Pero, no podía recordar su nombre. Me bajé de mi vehículo, llamé insistentemente a la entrada, y nadie salió. Decidí retirarme y volver más adelante.

A la semana siguiente, regresé. Esta vez llamé y una enfermera salió a recibirme. Le expliqué que mi hija visitaba con frecuencia el hogar y que particularmente se identificó con un ancianito que no lograba recordar su nombre. De todas formas, creía poder identificarlo si lo veía. La enfermera me indicó que no era buen momento porque se encontraban almorzando; decidí volver en otra ocasión.

Pasaron dos semanas cuando volví al hogar por tercera vez. Al bajarme de mi auto, escuché nuevamente la dulce voz de mi hija al oído:

"Su nombre es don Rafael". La misma enfermera que me atendió en la segunda visita, volvió a atenderme. Le dije: "Aquí estoy de nuevo y ya me acordé cómo se llama el caballero; estoy buscando a don Rafael". El rostro de la enfermera cambió de repente: "¿Usted me dice que busca a don Rafael? Lamento decirle que murió antenoche en la madrugada del jueves" (ya era viernes). Quedé congelado, estupefacto; no lo podía creer. Pregunté: ¿Estaba enfermo? "No", me contestó la enfermera, "él estaba muy bien, simplemente amaneció muerto".

Había ido a verlo en dos ocasiones anteriores y no lo encontré cuando aún estaba vivo. Recuerdo muy bien que mi hija sentía gran compasión por este anciano porque estaba en todos sus sentidos y nadie iba a visitarlo. Le conté a la enfermera, debido a mi asombro, y ésta concluyó: "Creo que su hija intercedió ante Dios por él". Exactamente, era justo lo que yo también había concluido. Pensé también, que mi hija quiso evitarme la fuerte emoción de conocerlo por la gran similitud con mi padre, su abuelo.

Me despedí. Iba totalmente sorprendido con lo ocurrido. Mientras guiaba de regreso a mi hogar, visualizaba el espíritu de don Rafael viajando por el espacio abierto, entre muchas estrellas. Al fondo se podía ver una gran puerta, llena de preciosas piedras y diamantes. Allí en primer plano, nuestro Señor Jesucristo y al lado mi hija Ciarelys, esperando la gran llegada. Veía a nuestro Señor extender sus brazos en señal de bienvenida e imaginé que le decían: "Bienvenido a Casa don Rafael".

6TA

REVELACIÓN

Eternamente princesa

Caminaba lentamente por el parque del vecindario luego de cenar; disfrutaba de la caída de la tarde y su mezcla de colores en el cielo. Era impresionante el espectáculo que me ofrecía la naturaleza. De repente, "el grillete" de muchos seres humanos, se activó…sonó mi celular. Era mi prima Naydín que me llamaba luego de salir de su trabajo. Nos saludamos y de inmediato me informó que tenía algo extraordinario que relatarme. Su voz se escuchaba vibrante, extremadamente emocionada; con cierto grado de ansiedad.

Todo comenzó en una madrugada del mes de septiembre de 2012, cuando mi prima no lograba conciliar el sueño. El cansancio se fue apoderando de ella y finalmente su cuerpo cedió al sueño. Muy pronto, según su relato, cayó en un precioso sueño. Se encontraba en un sitio bellísimo. Decía ella: "Era un lugar de una belleza sobrenatural".

Había colinas muy verdes, flores de múltiples colores, mariposas variadas y pájaros cantando. Había a ambos extremos del paisaje, dos impresionantes cascadas de agua azul cristalina; todo ello obraba en perfecta sincronización. Yo caminaba impresionada en dirección a la entrada de un castillo. Entonces cuál fue mi sorpresa cuando al llegar a la entrada del castillo, los guardianes con sus armaduras eran mi padre y mi suegro (ambos fallecidos). Entonces, pregunté a ambos: "¿Qué hacen ustedes aquí?". Los guardianes contestaron: "Custodiamos el castillo de la princesa de los cielos. A propósito, ahí está la princesa". En ese momento la princesa se asomó por uno de los vitrales. Estaba bellísima, con un traje blanco en flores. Llevaba una sonrisa radiante y destellaba mucha luz. Cuando miré a su rostro, ¡era Ciarelys! Entonces le dije a los guardianes: "Creo conocer a la princesa". Ellos afirmaron: "Es la princesa Ciarelys. Princesa de los cielos, nuestra princesa". Sentí una gran emoción durante todo el sueño y una sensación de felicidad cuando desperté. Fue un sueño tan bello, sencillamente maravilloso".

Nos despedimos y le agradecí por haberme contado tan bello sueño. Estuve pensando largo rato sobre la exitosa existencia de Ciarelys, donde en la tierra actuó y se comportó como princesa. Ahora en los cielos continúa siéndolo, con su castillo y todo: "Ciarelita de mi alma, princesa en la tierra… princesa en los Cielos. Eternamente…. princesa".

Perdona

"*El amor y la compasión son dones que Dios te ha dado. Pero de todos los dones que posees, el perdón es el más grande. Para perdonar tienes que amar y sentir compasión. Si la herida de tu ofensor fue grande y perdonas de corazón, te regocijarás en la Gracia Divina*".

Reflexión:

De todos los dones que Dios nos ha dado para el desempeño en esta vida, sin duda el perdón es el más grande. El perdón mismo es la cura a la herida que te provocó la otra persona. De esa forma, al perdonar quedan libres ambos: tu ofensor y tú.

Este mensaje enfatiza en el amor y la compasión como dones que Dios nos ha dado. Ambos juegan un papel importantísimo en el proceso de perdonar. Si sabes amar y sientes compasión eres capaz de perdonar a tu ofensor, y a ti mismo.

Mucha gente no sabe esta gran verdad. Cuando usted tiene coraje y resentimiento contra otra persona y se niega a perdonarlo, tanto usted como su ofensor están atrapados en el peligroso juego del odio, de las malas intenciones o el revanchismo. Solo al perdonar, ambos quedan liberados. Entonces, te sientes liviano de la carga, despejado, en paz y libre para continuar adelante con tu vida; prestándole atención a las cosas realmente importantes. El perdón es poder y es el don más grande que Dios te ha dado.

No perdonar implica quedar encerrado en un cuarto oscuro y pequeño; entonces las cosas de tu vida que son realmente importantes, pierden perspectiva, porque concentramos el esfuerzo y el tiempo en lo que es vano, en lo totalmente inútil. Todo ello, por estar enfocado en no querer perdonar, que a veces se traduce en no querer ceder. Pero al perdonar todo es totalmente distinto, quién primero se libera es quien da el perdón.

La acción de perdonar no está sujeta a la otra persona. No podemos esperar que la otra persona cambie, acepte parte de la culpa o se excuse. Nada de eso es realmente importante. El paso importante es el que sale de nuestra alma y nos indica que lo correcto y sanador es que perdonemos sin condiciones. Solo así daremos el paso de perdonar con firmeza y de corazón, sin esperar nada a cambio.

Al perdonar asumimos el control de nuestras vidas. Mientras tanto, estamos siendo manipulados todo el tiempo por el coraje, el odio y el resentimiento y otros sentimientos que no debemos albergar. En cambio, al perdonar, volvemos a asumir el control, y somos protagonistas otra vez.

El pedir perdón es también un acto de grandeza, que igualmente sale del interior de nuestro ser. Es un ejercicio igualmente tan difícil como el de perdonar, y conlleva hablar con nuestro corazón y dar ese paso adelante para, de igual forma, liberarnos y abrir el espacio en nuestro ser y dejar que el perdón entre en nosotros. Nuestro Padre Celestial perdonó nuestros pecados a través de Jesús. El perdón es la vía por la cual se nos concede la salvación.

Precisamente la acción de repartir amor era uno de los propósitos de vida de nuestra hija. Este propósito lo realizó a las mil maravillas. Aún tan joven, debía aprender a perdonar de corazón cuando la herida era profunda. Tuvo que perdonar más de una vez, a una persona que amó con todo su corazón y que la traicionó más de una vez. Sin embargo, ella lo perdonó en ambas ocasiones, pero no continuó la relación con él. Ciarelys misma me contó cuán aliviada se sintió luego del perdón. Incluso llegó a manifestarme: "Si me lo encuentro de frente le voy a hablar como si no hubiera pasado nada".

El perdón es la llama del amor; es la misericordia, la compasión, la reconciliación; es la llave a la salvación y por ende a la Vida Eterna.

Estoy contigo en todo momento

"Has enfrentado situaciones difíciles y grandes problemas. Has orado y al no obtener los resultados esperados has dudado. Pero hijo mío, todo lo que te envío es lo que está trazado en tu Plan Divino. Siempre he estado contigo y te he acompañado en todo momento".

Reflexión:

La mayoría de las veces oramos con gran fervor, especialmente cuando enfrentamos una situación difícil. Muchos recordamos a Dios cuando estamos en graves problemas y oramos esperando un determinado resultado, el cual se estima es lo más conveniente para nosotros. Siempre, pero siempre, Dios nos escucha, pero no nos da lo que nosotros creemos es lo más que nos conviene, sino lo que tiene trazado para nosotros en su Plan Divino. A veces nos defraudamos y nos desilusionamos pensando que no nos complació o no nos escuchó. Falso. Lo que Dios nos da para afrontar el problema, ciertamente es lo que nos ayudará a resolver la situación. Con mucha frecuencia deseamos un empleo, y Dios nos ubica en otro; o cuando buscamos pareja para formalizar una relación, Dios nos encamina con otra persona. Ocurre también cuando nos gusta una casa y terminamos ubicados en otra. Luego, en cada situación, quizás no de inmediato, nos damos cuenta de que se nos dio lo que era mejor para nosotros.

Por lo tanto, no debemos sentirnos defraudados al no obtener a través de la oración lo que hemos pedido. Dios nos ama entrañablemente, con toda su energía. Por consiguiente, lo que nos provea después de nuestra oración, viene lleno con su amor y sin duda es lo mejor para nosotros porque es lo que tiene provisto en su plan perfecto.

Aunque oremos y el resultado luzca totalmente adverso, con el pasar del tiempo sabemos que lo ocurrido tuvo su razón de ser, aunque esto no alivia del todo nuestro dolor. En el caso de la pérdida de nuestra hija, creo firmemente que vino con dos propósitos de vida primordiales. Cumplió cabalmente con ambos y fue reclamada por nuestro Creador.

Ciarelys era un ser especial que transmitía amor por toneladas. Por ser muy amorosa, era muy sensible. Lloraba mucho por el daño que otras personas le causaban y que ella no lograba comprender. Muchas veces pensé que, por su forma de ser, nuestra hija no tenía espacio para vivir en este planeta. Era una persona de vivir en paz y armonía. En ese sentido, me parecía avanzada en su evolución como ser humano. Evitaba las controversias, era una joven de bien y buena voluntad. Me parecía que, por sus cualidades, su vida en la tierra iba a ser muy difícil.

Nuestro Padre nos ama muchísimo, siempre está con nosotros y en nosotros. Nunca nos abandona y no nos deja solos en ninguna circunstancia. Está ahí para nosotros en todo momento. Oremos y esperemos en todo los que nos ocurre, incluso en un deceso, los buenos resultados de parte de Dios.

7MA

REVELACIÓN

7MA

De-vuelta a la verdadera vida

Habían transcurrido unos dos meses desde la partida de mi adorada hija y aún lloraba con bastante frecuencia, especialmente cuando estaba solo porque no quería que mi esposa e hijos me vieran para no agudizar su sufrimiento. No obstante, gracias a la vasta preparación religiosa que me dio mi querida madre, yo estaba muy claro en que todo lo ocurrido había sido la voluntad de Dios. En efecto, en la oración más importante que dijo nuestro Señor Jesucristo dice: "Venga a nosotros tu Reino, hágase tu voluntad aquí en la tierra como en el cielo". Lo que ocurre es que muchas veces la voluntad de Dios es algo que no nos gusta; nos sentimos desanimados, insatisfechos, incomprendidos.

A pesar de todo el conocimiento que se me había proporcionado, ocasionalmente, tenía mis momentos tristes ya que cualquier cosa me recordaba a mi amada hija. Si veía cualquier adolescente de tez blanca, con pelo rizado, menuda como era ella a pesar de sus veintiun años, me embargaba la tristeza. Cuando iba al cine no podía seleccionar nuestra combinación de "Pop Corn" y "Raisinets" (pasas cubiertas de chocolate), porque de seguro me inundaría el llanto; si ella no estaba allí para compartirlos conmigo prefería no comer nada. La extrañaba demasiado, sentía que vivía solo con la mitad de mi corazón y que me habían arrancado la otra. Me sentía deambulando por el mundo, casi muerto en vida. Pero, por otra parte, sabía que mi Dios estaba en todo momento conmigo dándome apoyo, como siempre en mi vida. Esta percepción de apoyo era fácilmente detectable porque cuando lloraba, mi llanto no era prolongado; me sentía inmediatamente consolado por su poder misericordioso. Entonces, me secaba las lágrimas y me cubría una increíble sensación de paz, señal inequívoca de la presencia divina.

La rutina de mi vida continuaba casi inalterada, a pesar del gran vacío que había dejado Ciarelys. Un día regresaba a casa luego de llevar a mi esposa a una gestión personal. Estaba solo en casa, situación que resultaba incómoda por la reciente partida de nuestra hija, y la gran cantidad de fotos que teníamos de ella en el primer nivel de nuestra casa. Sentí el deseo de huir de mi realidad (como si esto fuera posible) subiendo a mi cuarto en el segundo nivel. Al llegar arriba irónicamente quise entrar al cuarto de Ciarelys, el cual estaba contiguo al nuestro. Comencé a ver lo que eran sus pertenencias, muy en especial su gran variedad de peluches, de los cuales yo guardaba variados recuerdos. Hasta ese instante todo iba bien; me mantenía controlado. Entonces, observé el frasco de la única medicina que le habían recetado para tratar lo que parecía ser una fuerte gripe. No hice más que sostener el frasco y comenzar a leer la etiqueta, cuando empecé a desquebrajarme. Intentando no llorar, solté el envase y quise salir del cuarto, pero la puerta del closet estaba abierta y vi sus trajes. Me detuve a tocar algunos de ellos, acompañando la experiencia del tacto con bellos recuerdos. Llegué a un traje color naranja que tenía muy fresco en mi memoria el día que se lo compramos; recordé lo feliz que estaba y lo bella que se veía. Hasta aquí llegó mi control, caí de rodillas aún con el traje en mis manos y comencé a llorar fuertemente, con mucho dolor, y un llanto desgarrador de profunda y amarga tristeza.

Lloré, lloré por un rato. Esta vez mi llanto duró más de lo usual. Finalmente, me sobrepuse del mismo y me trasladé a mi cuarto llevando en mi pecho una gran presión. Pasaron unos pocos minutos, cuando recibí una llamada de mi hijo Javier desde México. Como de costumbre le eché la bendición y procedimos a intercambiar saludos. De inmediato, me dijo que había tenido un sueño con Ciarelys, el cual resultaba hasta cierto punto incomprensible. El sueño había sido la noche anterior, y vino a mi hijo de forma muy vívida según su relato:

> Estaba en el pasillo del Colegio San Antonio -colegio donde estudiaron mis 3 hijos-, justo frente al auditorio hablando con unos amigos. De repente, vi que Ciarelys venía de frente lo que me sorprendió mucho. La detuve y le cuestioné cómo había llegado allí, cuando todo el mundo comentaba que había fallecido el 7 de agosto 2012. Entonces, Ciarelys le indicó: 'No, no, no. Yo no morí el 7 de agosto 2012, yo nací el 7 de agosto 2012. Yo morí el 5 de junio 2012'. Entonces ella continuó su marcha.

Tanto mi hijo Javier, como yo, quedamos desconcertados con lo que parecía ser un mensaje, pero el cual era confuso e incomprensible para nosotros. Hablamos un rato de lo feliz que ella se veía en el sueño y lo casi tan real que había resultado el sueño.

En los días subsiguientes, seguía pensando en el sueño de mi hijo y lo inexplicable del comentario de mi hija de que había nacido realmente el día en que todos pensaban que había fallecido, el 7 de agosto 2012. Y que había muerto, el 5 de junio 2012, curiosamente el día de la víspera de su cumpleaños. Realmente me resultaba incomprensible lo que hubiera querido decir.

Unos cinco días después, aún me mortificaba no entender qué significaba aquel sueño. Le había contado el sueño a mi esposa y ella, que guardaba consigo la computadora de nuestra hija, se había dado a la tarea

Sorpresa de celebración (5 de junio de 2012) de sus 21 años por sus compañeros de viaje la noche antes de ir a Marruteck, Marruecos, África.

Ciarelys en el Desierto del Sahara en Marrutek, Marruecos donde acampó una noche (7 de junio de 2012).

de ver si había ocurrido algo particularmente significativo el de 5 junio 2012. En efecto, sí había ocurrido algo significativo ese día.

Nuestra hija, estuvo estudiando en Salamanca, España del 15 de enero de 2012 hasta su regreso el 17 de julio de 2012. Según se desprende de su propia computadora, el 5 de junio 2012 sus amistades en España le celebraron su último cumpleaños, ya que el próximo día (6 de junio, fecha en que realmente cumplía años) saldrían hacia Marruecos.

De manera que el 5 de junio 2012 era el día que nuestra hija identificó como el día en que "murió", que según yo interpreto representaba su fecha de "nacimiento" y lo celebraba por última vez. Esta fecha recordaba su venida a este plano, que celebramos como el nacer, ¿pero realmente lo es? Pienso que, de algún modo, inconscientemente, reconoció la cercanía de su transición al más allá.

Otras sorpresas, nos aguardaban.

El 6 de junio 2012, un grupo de amistades conjuntamente con mi hija, acamparon en el Desierto del Sahara. Según el relato de una de las compañeras de viaje, todos sabían que ese día era realmente el cumpleaños veintiuno de mi hija. Habían atravesado por el desierto todo el día a camello y al llegar la noche hicieron una fogata en el centro. El grupo disfrutaba y conversaba animadamente cuando ocurre el momento trascendental de esta anécdota. Un muchacho del grupo indicó que sabía hacer ciertas figuras o siluetas alrededor del cuerpo humano utilizando una linterna, aprovechando la oscuridad y la fogata de fondo. Desconozco con cuántas personas el muchacho intentó trazar las figuras o siluetas. Cuando le tocó el turno a mi hija, el muchacho encendió la linterna y procedió a dibujar con su luz una figura. Lo que ocurrió dejó a todos con la boca abierta, increíblemente, alrededor del cuerpo de Ciarelys quedó perfectamente dibujado un ángel de luz, con sus alas bellamente diseñadas. Según contó la joven, hubo un silencio total, todos lucían atónitos ante la figura. ¿Qué significaba eso? ¿Era la confirmación de que era un ángel en funciones en la tierra o estaba en vías de convertirse en un ser alado?

Respecto a este revelador suceso, interrogué a varias de sus amigas que estuvieron presente. De sus relatos conservo dos cosas importantes. Primero, que ella lucía radiante y feliz dentro de la figura. Segundo y particularmente curioso, se le hicieron siluetas y figuras a varias personas y solo mi hija resultó con la figura de un ángel. Únicamente ella.

De manera que ya había logrado descifrar la primera parte del sueño de mi hijo, la posible razón por la que dijo haber "fallecido" el 5 de junio de 2012. Solo faltaba la segunda parte, la afirmación de que realmente "nació" el 7 de agosto 2012, día en que partió Ciarelys con el Señor. Habían transcurrido unas tres semanas y estaba al borde de mi cama meditando en la madrugada, algo que hacía con alguna frecuencia y exhorto a realizar consistentemente. "Todo está en perfecta paz, todos duermen, no hay vehículos transitando; es el momento ideal", dije. Me encontraba meditando y vino a mi mente la aseveración de mi hija en el sueño. Estaba totalmente relajado, en completa sincronización. Entonces, surgió esa voz de mi interior, una voz pausada, dulce pero firme y contundente que con una convincente autoridad me dijo:

> Cuando una persona pierde la vida, los seres humanos catalogan ese día como el de su muerte. Pero en el lenguaje de los que ya se han ido, ese día significa el de su nacimiento porque regresamos a nuestro estado original, la verdadera esencia de nuestro ser, lo que realmente somos: Espíritus.

¡Cuánto misterio, quedé sorprendido! De manera que, en el lenguaje de los que ya han cruzado al Más Allá, ese día significa su renacer, contrario a lo que los humanos pensamos. Mientras nosotros lloramos por su muerte, probablemente ellos celebren con otros que ya se han ido. Justo en los momentos que escribía, recibí la confirmación: "Exactamente así ocurre". ¡Maravilloso, sublime, divino, alentador, esperanzador! ¡Qué alegría! Significa, entonces, que esa transición de la vida a la muerte o simplemente desencarnar, resulta ser una gran celebración. ¡Qué ironía! Pensar que nosotros nos quedamos con tanto llanto y tristeza.

Venimos a la tierra a cumplir nuestro propósito de vida y al momento de dejar este cuerpo físico, cuando creemos que morimos, realmente volvemos a nacer porque regresamos al estado original, volvemos a ser esa energía divina que se llama espíritu. Y como si esto fuera poco, ese momento que causa gran tristeza, depresión, sufrimiento, entre los seres queridos es, por el contrario, motivo de gran celebración en lo que conocemos como cielo. ¡Que grande eres mi Señor! ¡Que Maravilloso!

Imagen en forma de ángel alrededor de la figura de Ciarelys, capturada con
una linterna bajo la luz de la luna en Marruecos (7 de junio de 2012).

Un mundo mejor

Un domingo en la madrugada, justo a las 3:45 am, me encontraba en Patillas, un pueblo al sur de Puerto Rico, de donde es natural mi esposa y en donde pasábamos con frecuencia los fines de semanas. De regreso a la cama, después de haber ido al baño, me quedé sentado y comencé a pensar en mi hija, como solía hacer muchas veces cuando estaba solo y en completa tranquilidad, especialmente en las madrugadas.

Pensaba en los últimos momentos de mi hija cuando la trasladábamos de mi casa al hospital, un momento que marcó mi vida para siempre; no solamente, por su desenlace, sino porque en determinado momento yo no fui muy cooperador. En el fragor de la situación, tuve a una tonta discusión con mi esposa, y no ayudé a bajar a mi hija de su cuarto en el segundo piso hasta nuestro carro. Esa acción quedó grabada en mi mente, porque jamás pensé que esa era la última vez que nuestra hija bajaría esas escaleras; aún me duele el alma. Entonces, en el silencio de la madrugada en Patillas, comencé a llorar y a sollozar, para no despertar a mi esposa. Entonces, recibí otro mensaje, claro y consolador:

"No te mortifiques por eso. No hay razón para ello. De todas formas, ese era su día de partir. Es curioso que ustedes lloren tanto por los que ya han partido. Debería ser al revés, nosotros deberíamos llorar por ustedes que en su condición humana tienen que afrontar enfermedades, traiciones, angustias, egoísmos, hambre; dificultades financieras y muchas otras situaciones adversas. En contraste, nosotros estamos en un plano donde todo es amor, armonía, paz, alegría; sin egoísmos ni resentimientos, sin enfermedades; en fin, todos quieren permanecer aquí. Es una ironía. Ciertamente, nosotros deberíamos llorar por ustedes."

Reflexión:

Estuve a punto de caerme de la cama. Paré de llorar por completo y una sensación de amor y consuelo invadió mi cuerpo".

Este es un mensaje de gran profundidad que expone el contraste de la vida en un cuerpo físico y la vida después de desencarnar. Realmente para los que aún continuamos viviendo en este mundo es absolutamente cierto que la existencia en este plano material no es nada fácil. En contraste, según el mensaje, una vez trascendemos, "todo es amor, paz, armonía, alegrías; sin problemas, angustias, ni enfermedades". Viendo estos dos cuadros tan distintos, tiene fundamento que estos seres trascendidos presenten un grado de compasión hacia los que aún batallamos día a día en este mundo.

Nuestros seres queridos que ya han partido están de vuelta en el lugar al cual pertenecemos: la Gran Casa del Creador. ¡Qué mejor sitio que ese para estar! Entonces, ¿por qué lloramos tanto por los que se han ido? Este mensaje me hace afirmar que el que llega a los brazos del Creador y ve las Maravillas del Reino de los Cielos, no quiere regresar a la tierra. En ese Otro Mundo, conocido como el Más Allá o el Reino de Dios, solo hay paz y armonía; todo es perfecto al lado de nuestro Creador. Probablemente, de manera inconsciente, pero muchos afirmamos lo mismo, pues cuando alguien fallece decimos: "pasó a un mundo mejor". Definitivamente así es, pero esta transición de la vida a la muerte tiene que ocurrir de forma natural, nunca provocada por nosotros mismos.

8VA

REVELACIÓN

Un regalo especial desde el más allá

Generalmente en las mañanas, me levanto temprano, ya sea para hacer cualquier gestión o solo para desayunar y leer el periódico: Vida de jubilado. ¡Qué buena vida! Recuerdo que era poco antes del Día de las Madres y me dirigía con mi esposa Vangie al centro comercial Plaza Las Américas, en San Juan, Puerto Rico. Platicaba con mi esposa sobre diversos temas, cuando de repente ella comenzó a llorar y con justificada razón. Este sería su primer Día de las Madres sin Ciarelys. ¡Que difícil iban a ser todas esas acostumbradas celebraciones sin ella en el panorama! Ciarelys era una fuente inagotable de amor todo el tiempo, pero en esos días especiales era aún más especial.

Por ejemplo, si era Día de Madres o Día de Padres, acostumbrábamos a llenar una sola tarjeta de felicitación y todos la firmábamos luego de escribir un mensaje. Aunque ella firmaba también en la tarjeta de felicitación de todos, preparaba otra tarjeta de felicitación de ella sola para su madre o para mí. En su tarjeta individual, vaciaba todas sus emociones. Desde muy pequeña sus mensajes y acciones de amor, nos hacían llorar; como cuando hacía sus propias tarjetas de felicitación para distintas ocasiones.

Con gran esfuerzo mi esposa y yo continuamos hablando de lo que sentíamos, mientras, a su vez, yo continuaba reprochándome lo que debí haber hecho con una hija tan noble, cariñosa, compasiva, unificadora… cuando, de momento, vino a mi mente como un impulso para preguntarle a mi esposa, qué regalo quería recibir ese Día de las Madres tan particular… pero esa pregunta no tenía razón de ser, porque ya le había comprado un "Gift Card" de una conocida tienda de ropa. Entonces en mi mente se dio una situación de confusión porque se me ordenaba: "Pregúntale, dale pregúntale". Y sin entender porqué, le pregunté. Para mi sorpresa, mi esposa me contestó que deseaba una cartera para el trabajo, ya que sus alternativas de cartera no eran muchas. Obtenida la respuesta, ahí acabó el tema.

En la víspera del Día de las Madres, una vecina tocó nuestra puerta. "¡Hola Lladira! ¡Adelante!", le dijimos al abrirle. ¡Ella había venido a decirnos que Ciarelys se había comunicado con ella para pedirle que, en su nombre, le hiciera un regalo de madres a su mamá Vangie! Esta vecina y nuestra hija tenían una gran relación, por lo que no dudé ni un segundo que mi hija se le hubiese revelado de esa manera. Mi esposa comenzó a llorar. Mientras, nuestra vecina sacó de un bolso una bella cartera: "Aquí está tu regalo. Ella me dijo que te comprara una cartera". Fue entonces que comprendí el suceso de días anteriores en mi mente: desde el cielo, me habían mandado a preguntarle.

Aquel momento de llanto en el que lamentábamos que Ciarelys sólo viviera veintiun años; que debimos besarla más, abrazarla más, acariciarla más (lo que precisamente ella hacía con nosotros todo el tiempo); que Dios nos la envío y no la aprovechamos lo suficiente, se transformó. Ciarelys, nuevamente, mostraba desde otro plano que era una fuente de amor, y si no habíamos aprendido lo suficiente de ella aún nos estaba dando otra oportunidad. Me quedó claro que nos reencontraríamos y no perdería el tiempo esta vez, porque será eterno.

18/Oct/03

Para: La Mejor madre que existe en este mundo, mi mamá, la que otros necesitan.

De: Su querida hija ciarelys

Para una madre muy especial a la que quiero tanto en el mundo en este dia le quiero desear muchas felicidades por un año mas de vida. A la que le prometo estar juntas y cuidarnos por siempre si Dios lo permite y que disfrutaremos toda la vida aunque ya haya hecho mi vida. Mamita linda, te quiero desear los mejores deseos del alma, te quiero un monton y como no te lo imaginas. Te ayudare en todo lo que pueda y estaremos juntas por siempre si Dios quiere. Celia cruz: ¡no llora vive tu vida y gozala toda! Disfrutaremos nuestra vida juntas al maximo sea como sea. Te amo mucho mami y te deseo que sigas cumpliendo muchos mas para que me dures y lindas hasta el final porque te amo mucho. Gracias por todo lo que me has dado y por tu apoyo eso es

¡Te AMO!

todo lo que realmente necesito y consejos, Gracia Guarda esta carta no la botes.
Cariños, de tu hija ciarelys. ¡Te Amo mucho!

▲ Carta de Ciarelys para un Día de las Madres

9NA

REVELACIÓN

9 NA

REVELACIÓN

No lloren más por mí

El 7 de agosto 2013 se celebraría una misa para recordar el primer año de la partida de Ciarelys. Durante la mañana de ese día, mi sobrina Patricia que consideraba a Ciarelys como su hermana, nos telefoneó para comunicarnos que deseaba decirnos algo muy importante antes de la misa.

Patricia llegó a nuestra casa y de inmediato comenzó su relato. Su rostro reflejaba emoción y sus ojos brillaban como prometiendo que se iba a contar algo grandioso. Comenzó diciendo:

El lunes en la noche desempolvé una canción que la propia Ciarelys me dictó poco después de su fallecimiento, es decir hace un año. Debo confesarles que nunca quise llorar a Ciarelys, porque me resistía a pensar que se había ido; prefería pensar que aún estaba estudiando en España. No fue hasta este año que canté la canción por primera vez, me invadió la tristeza y lloré amargamente, con mucho, mucho dolor. Continúe llorando con gran sentimiento, como no lo había hecho ni el día de su muerte. Entonces, sucedió algo inesperado. Sentí sobre mis mejillas, mi cuello y mi hombro un roce, como una caricia y luego, un abrazo. Sentí

◀ Ciarelys Bravo Pagán en La Coruña, Galicia, España (2012)

escalofríos y se me erizó la piel, porque era algo muy propio de Ciarelys. Solo pude exclamar: ¡Oh Dios, ella está aquí! Ella realizaba ese mismo gesto de amor con mucha frecuencia. Pero sucedió algo más sorprendente aún, oí un susurró: "Cántame". Entonces se reanudó mi llanto, pero con más fuerza aún.

Ese día, celebramos la misa del primer aniversario de la partida al cielo de nuestra querida Ciarelys. Esta se llevó a cabo en la iglesia del Colegio San Antonio de Río Piedras, donde nuestra hija estudió desde preescolar hasta graduarse de cuarto año de escuela superior. Asistió mucha gente, más de los que esperábamos por ser un miércoles. Allí estaba su familia directa, además de sus amigos de estudios y otras personas que la amaron mucho o más bien que reciprocaron el amor que ella siempre ofreció a todos ellos. Antes de comenzar, recordamos varias anécdotas e historias relacionadas con su vida.

La misa transcurrió con toda normalidad, y al concluir Patricia interpretó la canción que la propia Ciarelys le dictó poco después de su partida. Entonces, la iglesia se vio invadida por el derroche de emociones de los allí presentes. Muchos intentaron contener el llanto (incluyéndome), pero los sentimientos y emociones afloraron lo que provocó que explotara en llanto. Patricia es una artista muy talentosa que canta bellísimo. Su voz se escuchaba como trinos celestiales; y la canción era muy inspiradora, alentadora y profunda.

Al concluir la interpretación de Patricia los asistentes aplaudieron delirantemente. Mi esposa y yo que estábamos en el primer asiento, nos levantamos y caminamos hasta ella y los tres nos fundimos en un fuerte abrazo, en un mar de lágrimas. Fue un momento extremadamente emotivo que duró varios minutos. El título de la canción se me proporcionó al día siguiente, como un mensaje, mientras conducía mi auto: "La canción se titula *No lloren más por mí*".

Desea solo el bien

"No desearás enfermedad, angustias, infelicidad, pérdidas económicas o fracasos a aquellos que te han hecho algún mal. Por el contrario, les desearás salud, paz, beneficios económicos, felicidad y éxito. Esto hace feliz a Dios, que te creó como un hijo perfecto de Él".

Reflexión:

Desear algún mal a cualquier ser humano es un sentimiento que debemos erradicar en cuanto surge. Por ningún motivo, tenga algún fundamento o no, debemos albergar en nuestro corazón ninguna intención de hacer un mal a otro ser humano, que como hemos establecido es un hermano nuestro. A veces el daño que nos ha provocado otra persona es de tal magnitud que nos produce una sensación de revanchismo. Error, grave error. Nunca debemos caer en esa trampa. Le damos demasiado color a cosas que realmente no son tan graves y provocamos que un pequeño problema se convierta en algo grande. Inmediatamente alberguemos un pensamiento de coraje, revanchismo u odio, hay que rechazarlo de plano y pedirle a Dios que nos ayude a erradicarlo de nuestro ser completamente. Al hacerlo, no solo todo le irá mejor a esa persona, sino que a nosotros también. La buena voluntad hacia otras personas, deja gran bienestar a nosotros mismos.

Nuestro Señor Jesucristo dijo: "Al que te hiera en una mejilla, preséntale también la otra". Hay que tener gran temple y dominio de nuestro carácter para decir esto. Ahora bien, el que logra actuar de esta forma se convierte en un ser de una gran paz. Al desear al agresor todo el bien posible, ese bien sin duda, le revierte multiplicado. También, a la pregunta de Pedro sobre el perdón, Jesús contestó: "No te digo hasta siete veces, sino hasta setenta veces siete" (San Mateo 18:22). Es decir, hay que hacerlo en todas las oportunidades de perdonar que surjan.

Son esos momentos los que revelan cuánto amor y compasión hay encerrado en nuestros corazones. Es cuando tenemos que actuar de acuerdo a las enseñanzas que nos dio nuestro Señor; básicamente con amor y perdón se supera todo mal.

Actuar de la manera correcta hace feliz a Dios. Por cuanto, cuando surgen estas emociones que nos invitan a hacer daño, debemos resistirnos, y actuar con prudencia y amor profundo, con el deseo sincero de perdonar. Debemos rechazar la idea de hacer el mal y, por el contrario, abrazar a ese otro ser y decirle que lo queremos. De esa forma actuaría un ser creado a imagen y semejanza de Dios. Esta manera de vivir promete felicidad y una gran paz.

Desear el mayor bien a ese otro ser que te hizo algún mal resultará en una gran lección para el otro. Además, pretender el mal es atraerlo hacia uno mismo. Por tal razón, actúar como un hijo de Dios y devolver bien por mal nos engrandece ante Él y nos ayuda a crecer espiritualmente.

Da gracias a Dios

"Da gracias a Dios por lo mucho que te ha dado. No se refiere a bienes materiales, sino al mucho amor que te envía todos los días: la salud, la paz, el intelecto, el libre albedrío e incluso por las pruebas difíciles. Recuerda que estas son solo oportunidades de crecimiento espiritual y si pones al Creador por delante, todo se manifiesta en Perfecto Orden Divino".

Reflexión:

Dios no castiga, porque Él es Amor Puro. Tampoco se reciben castigos del Cielo. Son oportunidades de crecimiento espiritual. Hay que enfrentarlas reafirmando la fe y buscando apoyo en el Ser Supremo de tu interior. De este modo, saldremos adelante.

Es una frase común entre los seres humanos decir: "Eso le ocurrió por castigo divino". Esto se dice cuando interpretamos que el que ha recibido el "supuesto" castigo ha obrado incorrectamente, con egoísmo o mala voluntad. Este dicho es totalmente falso.

Dios es la fuente continua; el amor en su máxima expresión. Al estar en este plano vivimos pruebas de aprendizaje espiritual para reavivar la fe, para volvernos hacia Él, para fortalecer nuestro espíritu. Cuando estamos conscientes de que esos momentos o situaciones difíciles que enfrentamos en la vida son solo experiencias para avanzar espiritualmente, estas se hacen más llevaderas y aleccionadoras; es posiblemente cuando más intimamos con Él. Es cuando finalmente logramos ver y comprender muchas de estas instancias difíciles.

Hay un poema anónimo titulado "Huellas en la arena", que explica maravillosamente lo que queremos transmitir. En este una persona sueña sobre sus experiencias en la vida, las cuales se reflejan con huellas en el suelo. Se da cuenta, que hay dos huellas en el suelo, las suyas propias y las de Dios. Pero le llama la atención que, en los momentos más difíciles, cuando las pruebas eran más duras, solo había un par de huellas. Entonces miró a Dios y le reclamó "Señor mío hay dos pares de huellas en el suelo que simbolizan mis experiencias en la vida contigo a mi lado. Pero cuando tuve las experiencias más difíciles, solo hay un par de huellas. ¿Por qué cuando más te necesité, me dejaste solo? Y Dios le contestó: "Hijo mío, cuando ves un solo par de huellas en tus momentos más difíciles, es porque Yo te llevaba cargado en mis brazos".

¡Cuántas veces hemos pasado por esta experiencia! Son muchas las veces en que nosotros, aun siendo creados a su imagen y semejanza, nos dejamos caer, desfallecer, sintiéndonos totalmente indefensos hasta llegar a abandonar la lucha. Entonces, es ahí donde el Dios que nos creó y que tanto nos ama, nos levanta, motiva, nos da aliento y la fortaleza necesaria para vencer cualquier obstáculo. Cuántas veces a pesar de la aflicción, la angustia y el desconsuelo y sentimos una fuerza renovadora, potente, consoladora, que nos saca adelante de forma maravillosa. Esa fuerza energizante y alentadora que nos pone de pie día a día, que hace ver esta prueba difícil como una prueba de vida más, esa fuerza es nuestro Dios Todopoderoso que está en nosotros y al que podemos recurrir solo volviéndonos al interior. Lector querido, es tan sencillo como eso, solo buscar en nuestro interior y Dios nos cargará en sus brazos.

Las experiencias difíciles son oportunidades genuinas de crecimiento. Por ello, hay que enfrentarlas con fe y descargar confiadamente los problemas en los brazos del Dios.

10MA

REVELACIÓN

10MA

La evolución es continua

Me encontraba en Patillas. Era la madrugada del sábado 26 de agosto 2013 y en este tiempo estaba padeciendo de insomnio. Como era mi costumbre cuando se me escapaba el sueño, me relajaba totalmente y entraba en un proceso profundo de meditación. Mientras meditaba, pensaba en la importancia de la vida para cada ser humano en la tierra. Mi pensamiento vagaba en cuáles eran los propósitos fundamentales de nuestra existencia. Porque definitivamente, según se me había indicado, venimos con unos propósitos y objetivos trazados por el Creador a este mundo. Nuestra vida en la tierra está repleta de etapas, situaciones difíciles, alegrías, angustias, problemas, trastornos, celebraciones, decisiones difíciles, traiciones, recompensas, enfermedades, llanto, pasión, triunfos y muchos otros.

Pero, ¿hacia dónde vamos? ¿Cuál es el fin deseado? ¿Es solo venir, nacer, crecer, vivir, comenzar a decaer y finalmente morir? Y eso es todo, se acabó. Esas eran mis preguntas y pensamientos, cuando esa voz de mi interior comenzó a musitar:

Los seres humanos, precisamente por su condición de humanos les cuesta trabajo entender. Nacer y morir, encarnar y desencarnar; ir y regresar, si pudieran comprender, son parte de un proceso completamente normal. Vamos progresando, estudiando y aprendiendo y otra vez, progresando, estudiando y aprendiendo. Es un ciclo de evolución espiritual continua. Es un proceso como en la escuela, se alcanza el nivel primario, luego el secundario y la universidad. Se viene a la tierra con unos propósitos y objetivos muy individuales. A algunos les toma un tiempo corto lograr sus objetivos divinos, a otros un tiempo intermedio y otros alcanzan la vejez. Pero todo está bajo el control de Dios. En ocasiones ocurren algunos sucesos adversos según la manera de aplicar el libre albedrío. Pero todo es cuestión de volvernos a Él y todo continuará en control. Por tanto, nuestra partida de la tierra es parte del plan perfecto de Dios, una vez este se ha completado.

Hasta poco antes de esta impresionante comunicación, estaba en el borde de la cama cabeceando por el sueño, pero al recibir este mensaje, quedé de pie, muy alerta y regocijado. ¡Wow! Había recibido otro mensaje de gran profundidad y muy significativo. Entonces no podía conciliar el sueño. Pensaba una y otra vez: "Vamos y regresamos; encarnamos y desencarnamos", todo ello dentro de un proceso de aprendizaje continuo; de evolución espiritual. ¡Fascinante! ¡Esperanzador! ¡Perfecto mi Dios, absolutamente perfecto! Me sentía muy, muy emocionado. Esto era alentador y resultaba ser una cura para mi dolor.

Resuelve tus diferencias

"La discordia, la vanidad, la avaricia y el egoísmo son veneno a nuestro ser. Resuelve tus diferencias, no te vanaglories con lo que Dios te ha dado; no anheles tanto los bienes materiales y comparte con tus hermanos: tu prójimo".

Reflexión:

Veneno a nuestro ser, eso resultan la discordia, la vanidad, la avaricia y el egoísmo. Estar en controversia con cualquier persona es una horrible sensación. Hay que procurar resolver los conflictos con toda persona en la tierra y no dejar nada pendiente al momento de partir. Estas situaciones que quedan pendientes de atender, resultan a veces en ataduras que de una u otra forma nos comprometen, no solo con esa persona, sino con otras a nuestro alrededor.

Quizás estos problemas surgen por vanagloriarnos por lo que tenemos o hemos logrado. Lo cual se ve muy mal ante los ojos de Dios. Segundo, lo que has alcanzado o posees es gracias a los dones y virtudes que se te ha provisto; estos son para un buen uso y no es prudente que te enorgullecernos por algo que nos ha sido dado.

Debemos rechazar codiciar los bienes materiales como una prioridad en la vida. Muchas personas viven una vida persiguiendo objetivos puramente materiales, acción que los lleva a vivir una vida miserable, hueca y sin sentido. Los seres humanos que enfocan sus vidas en adquirir solo este tipo de bienes, no son felices y generalmente son personas muy insensibles. Además, ser en extremo materialista ocasiona un desgaste espiritual en ese nuestro ser. El Señor Jesucristo también nos recordó que "dónde esté tu tesoro, allí estará también tu corazón" (Mateo 6: 19-21).

El egoísmo es un sentimiento que podemos explicar desde la raíz de la palabra misma. Implica estar centrado en la propia persona; querer poseerlo todo, sin compartir con nadie. Solo se desean bienes, comodidades, lujos, etc. para uno mismo y los suyos, sin pensar en los demás. De este modo, no solo no tenemos ninguna consideración con otros seres humanos, sino que no compartimos nada con su prójimo.

En una ocasión, nuestro Señor observaba las grandes cantidades de dinero que daban algunos en el templo. No obstante, le llamó la atención una viuda que solo echó dos monedas (Marcos 12: 41-44), porque dio todo lo que tenía, no se quedó con nada para ella. Entonces concluyó que su demostración de desprendimiento material fue tal, que realmente era quién más había dado, desprendiéndose de todo egoísmo.

Busca lo trascendental

"Todo es relativo, todo es pasajero, todo es circunstancial. Solo hay una Gran Verdad: Dios. Todo lo demás no tiene mayor relevancia, excepto lo que es transcendental para el mejoramiento del espíritu".

Reflexión:

La vida diaria de un ser humano se resume muchas veces en algunas actividades de rutina: llevar a cabo una faena diaria de trabajo, atender a su familia (proveer comida, agua, educación y techo) descansar algunas horas y algo de diversión. Esencialmente ese es el ciclo de cada ser humano en estos tiempos. Pero la realidad de todas estas actividades es que las mismas son pasajeras, relativas y circunstanciales. Estas actividades son efímeras o tienen su tiempo, porque se realizan en etapas determinadas. Por ejemplo, los hijos crecen y crean sus propias familias, abandonando el hogar. Son relativas, varían de persona en persona y son circunstanciales, porque surgen según un contexto. Entonces, "¿qué es realmente importante?" ¿Vinimos a la tierra solo a realizar actividades como esas? No, lo verdaderamente importante es nuestro ser y trabajar siempre en equipo con esa chispa divina dentro de cada uno de nosotros, que es un pedacito del Centro Universal, del eje que mueve el universo y que es: Dios.

La realidad es que nada es nuestro, todo es momentáneo y circunstancial. Al desencarnar no nos llevamos nada, excepto nuestro propio ser. El mejoramiento espiritual deberá ser el aspecto más importante en nuestras vidas. Por lo tanto, mantener a Dios como la bujía que lidera todas nuestras acciones, debe ser nuestra prioridad. En relación a esta Gran Verdad, todo lo demás es irrelevante. Si perdemos esta perspectiva la vida pudiera cobrar un valor irreal, llevándonos a concentrarnos en cosas sin substancia del mundo material. Dios nos da la vida: la de aquí y la del más allá. También, su protección, cuidados, y felicidad (a pesar de algunas pruebas difíciles) son por siempre. Él nos ama inmensamente; es el centro de toda vida.

11MA
REVELACIÓN

¿Un ángel en funciones?

Esta manifestación fue en una fría madrugada de noviembre 2013, en South Carolina, específicamente en el hogar de mi adorada prima Naydín cuando su esposo luchaba, no contra el frío, sino contra síntomas de insomnio. Luego de varias vueltas en la cama, finalmente concilió el sueño a eso de la 1:30 am. Según me contó luego, se fue en un profundo sueño que describió de la siguiente forma:

> En el sueño, estaba en casa de mi mamá, en Bayamón Puerto Rico, lugar que pude distinguir rápidamente, porque fue su casa por los pasados 30 años. Parecía ser temprano en la mañana, pues donde estaba sentado (en la sala) veía hacia la cocina a mi esposa y a mi madre, preparando desayuno mientras hablaban. Yo veía televisión en una butaca, bien acomodado. De repente, frente a mí se presentó el más bello ángel que puedas imaginar. Era muy grande, brillaba como el sol, su blanco era perfecto, de gran nitidez. Brotaba luz por los ojos, oídos, boca; la casa

quedó impecablemente brillante. Cuando fijé mis ojos en la cara, ¡era Ciarelys con una sonrisa amplia que reflejaba una enorme felicidad! Quedé tenso, pero a la vez relajado porque se veía tan espectacular, que es difícil de describir. Lentamente y flotando en el aire, se fue acercando a mi butaca hasta quedar completamente frente a mí. Entonces me habló y me dijo: "Dile a mis padres y a mis hermanos, que yo estoy muy feliz. Hazle saber que desde donde estoy, monitoreo sus vidas en todo momento. Que sigan viviendo y traten de ser felices. Diles esto, hoy mismo". Entonces se elevó.

El esposo de mi prima se levantó sudoroso y, a las 2:00 am., quería llamarme de lo emocionado que se encontraba. Mi prima lo obligó a esperar a que amaneciera. Temprano en la mañana recibí esta bella comunicación de mi hija, que me daba un gran alivio, gracias a la misericordia de Dios.

Esa noche, traté de visualizar el sueño tan fiel como me fue descrito y sentí a mi niña muy cerca con todo el caluroso amor que siempre la caracterizó.

En Mi Nombre,
eres capaz

"A veces le impones limitaciones a las circunstancias de tu vida y a lo que eres capaz de realizar. Mi hijo querido, te he creado a mi imagen y semejanza. Eres capaz de levantarte, superarte, sanar y recuperarte. En Mi Nombre y el de su Hermano Mayor Jesús, todas las cosas son posibles".

Reflexión:

Toda circunstancia adversa debe ser un aliciente para recurrir a las facultades que Dios no ha dado como hijos a su imagen y semejanza. Ni las enfermedades, ni los problemas, angustias o controversias, nada será un impedimento si ponemos al Creador por delante. Solo hay que afirmar su presencia e intervención en cualquier situación y no habrá nada que resulte imposible.

Nuestro Señor Jesucristo dijo:

"Tened fe en Dios… Yo os aseguro que quien diga a este monte: "Quítate y arrójate al mar" y no vacile en su corazón, sino que crea que va a suceder lo que dice, lo obtendrá. Por eso os digo: todo cuanto pidáis en la oración, creed que ya lo habéis recibido y lo obtendréis" (Marcos 11: 22-24).

Estas palabras de nuestro Señor son de gran alcance y mucha profundidad. En síntesis, afirman que lo que se pida con fe, por más difícil que parezca, si se pide dando por sentado que se va a dar, sin duda ocurrirá.

San Mateo 7:7 dice: "Pedid y se les dará, buscad y hallareis; llamad y se os abrirá la puerta. Porque todo el que pide recibe; al que busca, halla y al que llama, se le abrirá". Es decir, la oración es la llave.

En ocasiones nos da con pensar que nuestros problemas o situaciones son más complicados que los de los demás, pero la realidad es que siempre hay otros en peor situación que la nuestra. Hay que mantener la fe, pedir con el mayor fervor y gran pasión; con la certeza de que nuestro Dios siempre nos escucha. Entonces, lo que a veces luce imposible, por el contrario será posible.

Es importante recalcar que si fuimos creados a imagen y semejanza de nuestro Creador, nuestros atributos y cualidades son múltiples y poderosos. Somos capaces de realizar muchas cosas con la oración y en nombre de Dios, y evitar imponernos limitaciones.

12MA

REVELACIÓN

12MA

La Casa de las Almas

Cuando se pierde un ser querido, tan joven, en plenitud de salud y de manera inesperada, recuperarse es un proceso largo y doloroso. A pesar de que recibí apoyo de inmediato y se me ayudó a comprender por qué ocurrían estas cosas, el dolor permanecía, a veces, bastante intacto. Durante este proceso, recibí cantidad de extraordinarios libros; apoyo de mis seres de luz y otros que se les unieron; mensajes de Dios y manifestaciones de mi propia hija, pero aun así el proceso de recuperación era muy difícil.

Algunos amigos me recomendaron que visitara un sicólogo, para buscar una ayuda adicional y atender la salud mental. Busqué un siquiatra al azar en las páginas amarillas y lo visité a su oficina. Desde la primera visita pude percatarme que tenía gran conexión con el doctor. Sentí que en la búsqueda "al azar", el Todopoderoso lo había puesto en mi camino.

El doctor era una persona altamente religiosa, su oficina estaba repleta de afiches de Nuestro Señor Jesucristo y de citas bíblicas. La charla con él fue muy amena y sentí gran alivio con sus palabras. La primera vez, hablamos por alrededor de una hora y pudimos haber continuado, pero éramos conscientes de los otros pacientes que estaban esperando. La cita médica resultó tan enriquecedora que continué las visitas unos tres meses adicionales.

Desde la primera visita había dejado establecido, que el motivo de mi pena era la pérdida de mi hija. Por cuanto, cada vez que visitaba el médico afloraba el tema de mi adorada Ciarelys. Durante la cuarta visita al sicólogo, este me sorprendió cuando al iniciar la sesión de trabajo me dijo: "Tu hija quiere darte un mensaje". Entonces me indicó que me daría la dirección en donde mi hija daría su mensaje, pues era en un lugar que poca gente conocía. "Es una logia espiritual en Santurce y se conoce como Casa de las Almas". La sorpresa fue mutua porque le contesté: "¡Yo sé dónde es! Mi mamá iba ahí cuando yo era adolescente". Al nombrarme ese lugar, di por sentado la autenticidad del mensaje.

Transcurrieron unas tres semanas y un domingo me presenté a la Casa de las Almas. La estructura tenía muy pocos cambios, según yo la recordaba. Llegué alrededor de las 9:30 am y algunos de los feligreses aún conversaban afuera del salón de conferencias. No era mi intención que se supiera la razón de estar allí. Quería evitar forzar algo; deseaba que todo surgiera de forma espontánea.

El servicio comenzó alrededor de las 9:45 am. Una dama lo presidió y básicamente hizo una exposición de una lectura del famoso escritor espirita Allan Kardec (1804-1869). La dama terminó su exposición y luego ofreció unas instrucciones: "Ahora vamos a entrar en un proceso de relajación y meditación profunda. Cerramos nuestros ojos y nos dejamos ir". Todas las personas se relajaron en sus asientos. Yo me fui dejando ir, me sentía muy liviano. Transcurrieron unos dos minutos. Entonces, una sensación rara comenzó a invadirme. Sentí como una brisa fría por mi cuello. Y luego, esa dulce y angelical voz:

Aquí estoy papá, justo detrás de ti. Me acompañan abuelo, abuela, tía Cuca, tía Senda y Pancho (el esposo de una amiga de la familia que falleció cuatro semanas después de Ciarelys). Todos ellos y muchos otros han sido enviados por Dios para apoyarlos. Queremos que estén tranquilos y acepten lo ocurrido como lo que es, la voluntad de Dios. Continúen viviendo sus vidas, les quedan cosas por hacer. Dios ha estado en el centro de todo, en todo momento. Encaminen toda acción en sus vidas poniéndolas en manos de Dios. Cuiden sus organismos. Dios les bendiga.

Entonces percibí que se incomunicó rápidamente. Fue una experiencia extremadamente agradable. Me sentí muy feliz de escuchar tan bello mensaje, directamente de mi hija, y experimentar tal manifestación. Llegué totalmente regocijado a mi hogar. Al siguiente día, se lo conté a mi esposa e hijos.

Vive una vida ejemplar en Cristo

"El afán por el enriquecimiento material empobrece el alma y te desvía del verdadero propósito de nuestra existencia: una vida ejemplar en Cristo. Con este objetivo, obtendremos nuestro pasaporte al Reino de Dios y por ende a la Vida Eterna".

Reflexión:

Muchas veces, nos enfocamos en llenar nuestras vidas de placeres, de comodidades y una variedad de cosas materiales por lo que, a veces, trabajamos toda una vida. Sin embargo, todo este esfuerzo resulta en un desenfoque del verdadero propósito de nuestra existencia, que es seguir el ejemplo de Jesús y de esa forma pulirnos espiritualmente.

En medio de esta reflexión recibí otro mensaje, que me pareció ser del Padre.

Camina

"El camino directo hacia Dios ya está trazado. Vuestro Hermano Mayor Jesús lo trazó para ustedes hace veinte siglos. Empieza a caminarlo hijo querido, no esperes un minuto más".

Reflexión:

En ocasiones nos hacemos las siguientes preguntas: ¿A que vine a este mundo? ¿Cuál es mi propósito de existencia? Y cuando muera, ¿advendré a la presencia de mi Creador? Las respuestas son sencillas. Hemos venido a este mundo a sacarle provecho a las experiencias del diario vivir para, de esa forma, crecer espiritualmente y purificar al máximo el alma. Ciertamente no es tarea fácil con la diversidad de cosas mundanas, pero no es extremadamente difícil. ¿Y cómo se logra ese crecimiento espiritual y esa purificación? Siguiendo el camino que nos trazó Nuestro Señor hace más de 2000 años, que está narrada por sus discípulos en el Nuevo Testamento del Libro Sagrado.

El Padre encarnó a Jesús para que viviera las tribulaciones, adversidades, traiciones y otras adversidades que se generan en la tierra, y las enfrentó con fe inquebrantable en Dios, con amor, bondad, misericordia, paciencia y perdón.

Nuestro Señor Jesucristo vino precisamente a hacer cumplir la Ley o Diez Mandamientos, a ejecutarlos, a vivirlos; a enseñarnos cómo debemos vivir para ser hijos dignos de Dios. Vino a mostrarnos que la Verdadera Vida no se vive en la tierra, sino que se vive en el Reino de los Cielos. En efecto, todos los libros que he leído sobre personas que por diversas circunstancias (accidentes, intervenciones quirúrgicas o enfermedades) han estado cerca de la muerte y han llegado hasta el Cielo, todos se lamentaron de que los hubieran regresado a la tierra para completar su existencia.

Epílogo

*4:7 El justo, aunque tenga un fin prematuro,
gozará del reposo.*

*4:11 Fue arrebatado para que la maldad
no pervirtiera su inteligencia ni el engaño
sedujera su alma.*

*4:13 Llegado a la perfección en poco tiempo,
alcanzó la plenitud de una larga vida.*

*4:14 Su alma era agradable al Señor,
por eso, él se apresuró a sacarlo de en
medio de la maldad.*

("El fin prematuro del justo", *Sabiduría* 4,
La Biblia de Jerusalem, www.bibliacatolica.com)

Han transcurrido poco más de seis años. El dolor por la herida profunda que se abrió en mi alma, ha sanado casi en su totalidad. Ese Dios de amor, misericordia y compasión me ha transformado en un hombre fuerte, otra vez alegre y emocionalmente sano. Poco a poco comprendí, con bastante satisfacción para mi ser, el porqué de esta partida, pero más aún a qué vino nuestra querida hija a este mundo. Creo que, de diversos modos, su espíritu fue preparado para su misión, evolución y trascendencia.

Les comparto un escrito –de los muchos que hacía Ciarelys– en el que describe su experiencia como estudiante hospedada. En este escrito, se expresa como un espíritu "preparado para cualquier destino" que incluía aportar a la evolución continua del alma de sus padres.

Ciarelys Bravo Pagán, 14 de enero de 2009

Desperté ayer

Desperte ayer. Desperté ayer a la vida, nunca pensé que lo haría. No sabía que existía esa otra parte de ella. Al menos nunca me interesé por conocerla porque no lo consideré necesario.

Fue más cómodo pensar que mis padres siempre me mantendrían y que no había prisa por mudarme de casa, por tomar la responsabilidad y el control de mi vida, el control de mi propio vuelo. No sabía que en algún momento mis padres dejarían de ser los pilotos.

Poco a poco fui cayendo de la realidad que pensé haber vivido todo este tiempo.

◄ Ciarelys en la Cruz de los peregrinos en Finisterre -el fin de la tierra-, La Coruña, Galicia, España

Una realidad falsa que inventó mi mente por el miedo a enfrentar una verdadera, que vivo ahora. Desperté ayer con un nuevo rompecabezas que nadie armará por mí. Uno donde tenemos que usar la cabeza o el corazón, la razón o los sentimientos [...].

Desperté ayer porque no pensé que llegaría el día en que me encontraría en esta encrucijada. Ese momento en que todos tenemos que escoger el sendero que nos hará mejores seres humanos en el futuro. Que nuestros padres no estarán ahí para sacar las piedras del camino antes de que tropecemos con ellas. Ahora tenemos que tropezar con ellas para aprender lo que no habíamos aprendido, para hacer los que antes no habíamos hecho, para crecer, madurar, y saber sacarlas nosotros mismos.

Desperté ayer al jardín donde las rosas tienen espinas. Desperté ayer al mundo donde alteramos nuestra paz para conseguir la libertad que tanto necesitamos. La libertad que necesitamos para vivir y que en busca de esta privamos a otros de tenerla [...].

Ayer desperté como cuando nadamos por primera vez sin balsitas. Fue como soltar el sillín de la bicicleta, de un niño, sin rueditas. No digo que es un cambio negativo, al contrario, es una meta alcanzada que logré sin darme cuenta. No me la propuse, pero me alegro que haya sucedido.

Comprendí que privarnos de la realidad es nublar nuestro camino innecesariamente. Mientras más nos esconden la realidad más tardamos en despertar y más difícil se nos hace abrir los ojos al mundo verdadero. Ya soy piloto de mi propio vuelo, acabo de emprender este viaje, aunque no sé hacia donde me dirijo, pero al menos estoy preparado para cualquier destino. Lo que sí es que me encargaré de que sea el mejor. Soy un aprendiz en pleno comienzo, ahora soy yo quien voy tras de mis padres quitándoles las piedras del camino.

Ciarelys cambió de casa.
Y en esa Casa "nos veremos".

Galería
de fotos

Ciarelys de bebé.

Con Chevy.

Graduación de 8vo Grado, Colegio San Antonio, Río Piedras, Puerto Rico.

"Ciarelys + Salamanka 2012 4Ever","Pozo del Amor" en Salamanca, España.

En Venecia, Italia.

Ciarelys aprovechó su viaje de intercambio estudiantil para visitar la Torre Eiffel en París, Francia.

Ciarelys posa con un cartel que parece reflejar su filosofía de vida.

Visita al Coliseo Romano en Italia.

Ciarelys con su amiga Tiffany Santini, Plaza de España de Sevilla.

En Marruteck, Marruecos, África con sus amigos de viaje.

En Disneyland, París, Francia (2012).